D0526311

MINUIT 13

JEAN-NICHOLAS VACHON

ÉDITIONS
MICHEL
QUINTIN

Catalogage avant publication de Bibliothèque et Archives nationales du Québec et Bibliothèque et Archives Canada

Vachon, Jean-Nicholas

Minuit 13

Sommaire : 1. L'égrégore.
Pour les jeunes de 14 ans et plus.

ISBN 978-2-89435-668-5 (v. 1)

I. Vachon, Jean-Nicholas. Égrégore. II. Titre. III. Titre : Minuit treize. IV. L'égrégore.

PS8643.A23M56 2013 jC843'.6 C2013-941175-5
PS9643.A23M56 2013

Infographie : Marie-Ève Boisvert, Éd. Michel Quintin

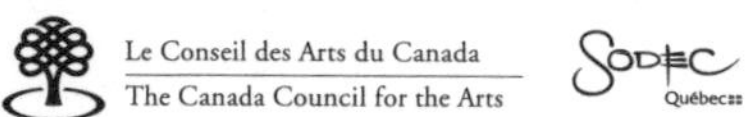

Patrimoine canadien Canadian Heritage

La publication de cet ouvrage a été réalisée grâce au soutien financier du Conseil des Arts du Canada et de la SODEC.

De plus, les Éditions Michel Quintin reconnaissent l'aide financière du gouvernement du Canada par l'entremise du Fonds du livre du Canada pour leurs activités d'édition.

Gouvernement du Québec – Programme de crédit d'impôt pour l'édition de livres – Gestion SODEC

ISBN 978-2-89435-668-5
Dépôt légal – Bibliothèque et Archives nationales du Québec, 2013
Dépôt légal – Bibliothèque et Archives Canada, 2013

Éditions Michel Quintin
4770, rue Foster, Waterloo (Québec)
Canada J0E 2N0
Tél. : 450 539-3774
Téléc. : 450 539-4905
editionsmichelquintin.ca

1 3 - L B F - 1

Imprimé au Canada

1

Stoneham, 13 h 11

Les forces policières organisent une battue dans le parc de la forêt ancienne du mont Wright. Benjamin Leblanc est porté disparu depuis plus de vingt-quatre heures. De nombreux résidents de Stoneham-et-Tewkesbury, troublés par la disparition du garçonnet de cinq ans, prêtent main-forte aux policiers. Armés de bâtons, de lampes-torches et de leur téléphone intelligent, les bénévoles s'éparpillent dans les sentiers de la montagne. Secrètement, ils craignent tous de faire une macabre découverte, mais ils espèrent surtout retrouver le petit garçon et le ramener chez lui, auprès de ses parents.

C'est l'automne, le ciel est nuageux, mais le temps n'est pas encore trop froid. Le vent du nord souffle par faibles bourrasques, un peu comme s'il voulait nous rappeler que l'hiver ne tardera pas à venir. Les quelques feuilles qui restent accrochées aux arbres sont de la couleur de la rouille. L'air frais rappelle l'odeur légèrement citronnée de la lessive, mais l'atmosphère demeure lourde, presque triste. On ignore encore ce qui est arrivé au petit Benjamin, mais j'ai l'impression d'assister à ses funérailles tant les visages sont sévères, les yeux tristes et les voix nouées.

Je suis ici pour venir en aide à la famille Leblanc; cependant, derrière mes nobles intentions se cache aussi, je l'avoue, le désir d'écrire une bonne histoire, un papier capable de retenir l'attention de mon rédacteur en chef. Je suis journaliste et, comme je suis frais émoulu de l'université, on ne me confie que des faits divers sans importance. Je m'applique avec soin à les relater, mais c'est tellement ennuyeux que je ne suis pas arrivé à produire une ligne un tant soit peu intéressante depuis le jour de mon embauche.

Il me tarde tant de raconter cette histoire que j'en oublie de me présenter. Je m'appelle Félix Saint-Clair, j'ai vingt-cinq ans et je vous ai déjà parlé de mon emploi. J'habite un modeste appartement de la rue Saint-Jean, à Québec. Je partage mon logis avec une chatte noir et blanc un peu obèse du nom de Troodie. Je roule dans une voiture hybride qui consomme très peu d'essence, je m'efforce de ne manger que des aliments biologiques et, outre le denim, je préfère porter des vêtements faits de fibres naturelles. Mes cheveux sont noirs, mes yeux le sont aussi et mes joues sont constamment envahies par une barbe de quelques jours que je suis trop paresseux pour raser plus souvent. J'aime les livres et l'Internet, mais je n'allume presque jamais la télé. Je suis curieux, rieur, un peu impatient et fasciné par tout ce qui est inexplicable ou mystérieux. Maintenant, revenons-en à cette sordide histoire…

Le policier donne le signal du départ. Je replace mon foulard de laine, relève le col de mon manteau et enfile mes gants avec une indéniable nervosité. Je plonge la main dans ma poche ; le contact de mon iPhone me rassure. Je suis prêt à m'élancer. Avant de soulever le pied droit, je jette un coup d'œil à la personne qui se tient à côté de moi. C'est une femme blonde d'une cinquantaine d'années. Elle est menue, son regard est vif et elle s'appuie sur un bâton de randonneur en graphite. Elle porte un manteau de pluie noir, une écharpe grise et des pantalons foncés. La tuque rose dont elle est coiffée détonne parmi ses vêtements sobres.

— Vous êtes de la famille du petit ? me demande-t-elle.

Pour toute réponse, je secoue la tête.

— Vous n'êtes pas du village, en tout cas, renchérit-elle en pinçant les lèvres.

Son ton est sec et peu invitant. Je décide tout de même de lui répondre.

— Non, j'habite à Québec.

L'air revêche, la femme commence à avancer. À l'aide de son bâton, elle tâtonne à travers les feuilles mortes. Je m'élance moi aussi en espérant que le relief accidenté de la montagne me séparera rapidement d'elle.

— Qu'est-ce que vous êtes venu faire ici? me demande-t-elle de sa voix cassante, sans quitter le sol des yeux.

— Comme tout le monde, j'offre mon aide dans l'espoir de retrouver le petit Benjamin.

Elle m'adresse un regard incrédule.

— Un jeune homme comme vous a certainement mieux à faire…

Les propos de la femme à la tuque rose commencent à me faire monter la moutarde au nez, mais je m'efforce de rester calme. Je ramasse une branche d'arbre cassée afin de m'en servir comme bâton de marche. J'observe les alentours. La montagne grouille de monde. Nous sommes un peu plus d'une quarantaine de personnes à avoir répondu à l'appel des policiers. Parce que je ne regarde pas où je pose le pied, je bute contre un gros caillou. Je perds l'équilibre, mais, grâce au bâton de fortune que j'ai ramassé, je ne tombe pas.

— Vous vous trouvez dans une vieille forêt, jeune homme, me dit la femme à la tuque rose. Vous devriez être plus prudent. C'est très dangereux, par ici.

— Ce n'est qu'une roche.

Elle lève les yeux au ciel. Son attitude m'exaspère et je laisse échapper un soupir plus bruyant que je ne l'aurais souhaité.

— Je peux connaître votre nom ?

— Je m'appelle Félix. Et vous ?

— Mireille. Savez-vous comment le garçon a disparu, Félix ?

À nouveau, je secoue la tête. J'ai beau être journaliste, je ne connais rien aux circonstances qui entourent la disparition de Benjamin Leblanc. C'est normal, parce que personne ne sait ce qui s'est vraiment passé. Pour la première fois, les propos de Mireille m'intéressent.

— Le petit et son beau-père sont venus se promener dans les sentiers en pleine nuit, m'apprend-elle. Ils voulaient se rendre au sommet pour observer les étoiles.

— C'est… bizarre, non ?

— Dites plutôt que c'est stupide.

Le franc-parler de Mireille me fait sourire. Nous avançons plutôt rapidement sur les sentiers peu escarpés qui parcourent la base de la montagne. Je contourne un gros rocher qui me force à m'éloigner de la femme. Je reviens rapidement vers elle dans l'espoir qu'elle continue à me raconter ce qu'elle sait.

— Il est d'ailleurs interdit de traîner dans ce parc après la tombée de la nuit, affirme-t-elle en fronçant les sourcils.

— Le beau-père du garçon est-il parmi nous, aujourd'hui ?

— Non. Il est à l'hôpital.

— Qu'est-ce qu'il a ?

— Je ne sais pas. Choc nerveux, je présume.

Une puissante bourrasque s'emmêle à travers les branches dénudées des arbres et me fouette le visage. Des feuilles mortes et des brindilles virevoltent dans l'air. Mireille baisse la tête et se couvre les yeux d'une main. Je commence à craindre que la pluie ne se mette de la partie. Pendant une accalmie, je sors mon iPhone de ma poche et consulte la météo : risques d'orage violent.

— Il faut continuer, me dit Mireille en plantant la pointe acérée de son bâton de marche dans le sol. Nous devons fouiller chaque centimètre carré de cette forêt.

Quelques éclats de voix fusent autour de nous. Certains des participants à la battue échangent des encouragements, d'autres crient le prénom du garçon disparu. Dans les bois, la tension est palpable.

— Comment est-ce arrivé, Mireille ?

Comme si elle s'attendait à retrouver l'enfant sous un tas de feuilles mortes, la femme répond à ma question sans quitter le sol des yeux.

— Le beau-père de Benjamin connaît bien l'endroit, affirme-t-elle. Il est natif de la région et habite aujourd'hui Stoneham avec la mère du petit. Il semble qu'ils aient quitté la maison vers vingt heures quinze pour observer les Léonides. C'est en tout cas ce qu'a raconté la mère du petit...

— Elle doit être dévastée, la pauvre !

— Vous n'avez pas idée à quel point.

— Ensuite ?

— C'est vers vingt-deux heures qu'elle a commencé à s'inquiéter. Elle a tenté de joindre Sébastien – c'est le prénom de ce monsieur – sur son portable, sans obtenir de réponse. Comme elle ne pouvait pas s'éloigner de chez elle, elle a appelé sa sœur, qui a pris sa voiture pour faire le tour du village, sans plus de succès. Pendant ce temps, la mère a téléphoné à la famille et à quelques amis. Personne ne les avait vus. C'est peu après minuit qu'elle a contacté les policiers. Ils ont ratissé les environs toute la nuit pour finalement repérer la voiture de Sébastien en retrait de l'aire de stationnement du parc de la forêt ancienne du mont Wright.

— Et le beau-père? Quand a-t-il refait surface?

— Vers trois heures du matin, au moment même où une équipe de policiers s'apprêtait à s'élancer sur les sentiers de la montagne.

Je remarque que les médias n'ont pas fait état de tout ce que Mireille me raconte, mais je me garde bien de le souligner. Naturellement méfiant, je me dis qu'il vaut mieux prendre les propos de la femme avec un grain de sel. Je gravis peut-être la montagne aux côtés d'une mythomane.

— Comment était-il?

— On m'a dit qu'il avait les yeux fous et qu'il était couvert de boue.

— A-t-il parlé?

— Il répétait sans cesse le nom du petit. Il a tout de suite été conduit à l'hôpital. C'est tout ce que j'ai pu savoir.

Je me demande si tous ceux qui gravissent la montagne en savent autant que Mireille. En fait, je crains seulement d'être le journaliste le moins bien informé de la province.

— On dirait que rien ne vous échappe.

Mireille rive ses petits yeux sur moi. J'y perçois un éclat de colère.

— C'est un reproche ? me demande-t-elle sèchement.

— Non, une simple constatation.

Des bribes de notre conversation me reviennent en mémoire. Dès qu'elle m'a vu, Mireille a affirmé que je ne suis pas de la région. Un instant plus tard, elle a déballé une tonne de détails sur la disparition du garçon. Peut-être fait-elle partie de la police.

— Vous connaissez la montagne ?

Je déglutis péniblement. Il ne fait aucun doute dans mon esprit que Mireille veut savoir si je suis déjà venu dans les environs. Je préfère lui dire la vérité.

— J'ai déjà monté là-haut à quelques reprises, oui.

Je n'ai rien à me reprocher, mais sa curiosité me met mal à l'aise.

Un cri retentit soudain et nous nous figeons tous sur place. Comme les autres, je m'immobilise et tends l'oreille. Il n'y a plus le moindre bruit sur le mont Wright, à part celui que fait le vent en cherchant à échapper à la forêt. Les gens se passent le mot à la vitesse de l'éclair et des expressions horrifiées se dessinent instantanément sur les visages.

— Quelqu'un vient de trouver un doigt, laisse tomber un homme qui marche à notre rencontre.

Il nous dépasse rapidement et va informer les autres.

— Un doigt ? répète Mireille, dégoûtée.

Je réprime un frisson. Je veux en savoir plus, mais l'homme est déjà loin. Quand je me retourne vers Mireille, je constate qu'elle a une main sur le cœur et qu'elle cherche à reprendre ses esprits. Comme je n'ai jamais envisagé le pire, je m'en veux d'être venu là dans l'espoir d'écrire un papier qui ferait du bruit. Un coup de tonnerre nous surprend et nous oblige à sortir de notre torpeur.

— Vous êtes blanc comme un fantôme, me dit Mireille en arrachant la tuque rose de sur sa tête.

Au loin, un policier muni d'un porte-voix nous demande de continuer nos recherches. Dociles, nous reprenons tous notre ascension, mais l'espoir qui nous habite n'est plus le même.

2

Stoneham, 14 h 27

Une goutte de pluie s'écrase au milieu de mon front. À mesure que nous gravissons la montagne, le vent souffle plus fort. Mireille est toujours à mes côtés, mais elle est muette depuis un moment. Dans ma tête, les scénarios défilent à une vitesse folle. Le beau-père a-t-il quelque chose à voir dans la disparition de l'enfant? Le garçon a-t-il été kidnappé par un maniaque qui se plaît à le mutiler? Peut-il avoir été la proie d'un animal sauvage?

Même si je crains de découvrir un lambeau de chair, j'utilise le bout de mon bâton pour soulever les feuilles mortes qui jonchent le sol. Mireille fait exactement la même chose de son côté. Nous grimpons vers le sommet depuis plus d'une heure, maintenant. Nous sommes ralentis par la fouille plutôt méthodique à laquelle nous nous adonnons.

— Il fait froid, se plaint Mireille.

Elle et moi ne sommes pas spécialement amis, mais d'entendre le son de sa voix me fait du bien. Au moment où je m'apprête à relever la tête pour regarder vers elle, j'aperçois un éclat doré. Je laisse malgré moi échapper une drôle d'interjection et m'arrête immédiatement. Mireille s'approche, mais je suis déjà à genoux en train de retourner la terre et les feuilles.

— C'est une croix!

Je tiens dans le creux de ma main gantée un pendentif en or et sa chaînette. Je sais bien que ce petit bijou n'appartient pas forcément à Benjamin Leblanc, mais je suis habité par un étrange pressentiment. J'utilise mon téléphone intelligent pour photographier ma trouvaille. Au même instant, une corneille s'envole en croassant.

— De nos jours, les enfants ne portent plus de bijoux, décrète Mireille en se détournant de moi. Encore moins une croix!

Je suis de son avis, mais je hèle tout de même l'un des policiers qui nous pilotent. Il s'approche, accompagné d'une femme dans la jeune trentaine. Elle a les cheveux bruns, le teint pâle, et ses yeux marron sont rougis par les larmes. Dès qu'elle aperçoit le pendentif que je tiens entre mes doigts, ses traits se crispent.

Une seconde plus tard, elle éclate en sanglots et se jette dans les bras du policier.

— Qu'est-ce que c'est, Laurie? demande le brigadier avec beaucoup de douceur.

La femme a du mal à se ressaisir, mais elle finit par nous apprendre qu'elle a elle-même offert cette croix à Benjamin.

— Je suis sa marraine, se justifie-t-elle.

— Nous allons continuer à fouiller les environs, annonce le policier, au cas où on trouverait autre chose.

Il tend la main vers moi pour que je lui donne la croix en or. Il me remercie et nous prie, Mireille et moi, de continuer à monter. J'aimerais poser quelques questions à la marraine du petit, mais la présence du policier m'en dissuade. Avant que nous poursuivions nos recherches, Mireille ose demander:

— C'est un doigt d'enfant, que vous avez retrouvé?

La question provoque un hoquet chez Laurie, qui reste accrochée au policier comme un naufragé s'agrippe à une bouée de sauvetage.

— Ça en a tout l'air, oui, affirme-t-il.

Il se détourne et, à l'aide de sa radio, appelle ses confrères afin qu'ils délimitent un périmètre de sécurité autour de l'endroit où se trouvait le bijou. Curieux, Mireille et moi nous incrustons, mais on nous demande à nouveau de continuer nos recherches. Nous nous éloignons à contrecœur et je tente alors de reprendre la conversation avec ma compagne de battue.

— Ce policier était très familier avec la marraine du petit.

— C'est un village, ici. Tout le monde se connaît, rétorque-t-elle.

Elle s'était un peu adoucie depuis notre départ, mais son ton est redevenu cassant, presque incisif. J'ose tout de même la relancer.

— En tout cas, si on en croit cette femme, le bijou appartient bel et bien à Benjamin.

— C'est tout de même étrange que le doigt et la croix aient été à ce point éloignés l'un de l'autre, note-t-elle.

Mireille a raison. J'attrape mon téléphone et ouvre l'application de géolocalisation. Je place un repère à quelques centaines de mètres de l'entrée du parc et inscris une note : *doigt*. Nous nous sommes un peu éloignés de l'endroit où j'ai trouvé la croix, mais je définis ma position actuelle avec la photo que j'ai prise de l'objet.

— Qu'est-ce que vous faites là ? me demande Mireille.

Elle étire le cou pour voir l'écran de mon téléphone. Je l'éteins et l'enfonce dans ma poche.

— Je consulte mes textos.

À en juger par l'expression de son visage, Mireille ne me croit pas, mais je m'en fiche. Après tout, ce que je fais ne la regarde pas. Nous nous remettons en route. Certaine que je lui ai menti, elle reste silencieuse pendant de longues minutes. À mesure que nous progressons, le sentier devient plus escarpé et fort sinueux.

— Il commence à pleuvoir.

La pluie déplaît visiblement à Mireille, qui tourne son regard vers le ciel en maugréant. Pendant qu'elle peste contre les éléments, je regarde tout autour de nous et constate que nous nous sommes éloignés des autres. Je n'aperçois plus que des formes mouvantes qui défilent, au loin, entre les arbres.

— On devrait aller par là, dis-je en m'arrêtant devant une fourche du sentier.

À droite, il y a un chemin de terre battue plutôt bien balisé. À gauche, c'est une piste beaucoup plus accidentée, envahie d'énormes cailloux et bordée d'épinettes aux branches tordues par le vent. Mon index pointe vers la gauche ; c'est mon côté aventurier.

— C'est hors de question, s'oppose Mireille. La pluie rend les pierres glissantes. C'est beaucoup trop dangereux et, en plus, en l'empruntant, on s'éloignerait davantage du reste du groupe.

— On pourrait se séparer ?

— Vous n'avez pas entendu les consignes des policiers ? s'insurge la femme en plantant durement son bâton dans le sol. C'est imprudent de s'aventurer seul en forêt. Il vaut mieux rester en équipe.

Je ne me souviens pas avoir accepté d'être le coéquipier de Mireille, mais il semble que le hasard ait décidé pour moi. Je réprime un soupir et, même si mon intuition me répète d'aller à gauche, j'accepte d'emprunter le sentier de terre. L'air maussade, je m'y engage à sa suite, car nous ne pouvons pas marcher côte à côte. L'averse gagne en intensité, le vent se fait de plus en plus cinglant et la température chute au point que je crains de voir la pluie se transformer en neige. C'est alors que j'entends un étrange sifflement. C'est une sorte de murmure, un chuintement indistinct, mais indéniablement humain. Je fais rapidement volte-face, mais je ne vois rien d'autre que des arbres dénudés, des pierres immenses et des troncs pourris rongés par les champignons. Le ciel est envahi par des nuages noirs et il fait très sombre. Je décide de rebrousser chemin et quitte le sentier pour faire quelques pas dans la forêt. Mes pieds s'enfoncent dans le sol que la pluie a rendu boueux.

— Où allez-vous? s'écrie Mireille en se retournant à son tour.

Comment peut-elle ne pas avoir entendu la même chose que moi? Soucieux de faire le moins de bruit possible, je ne lui réponds pas tout de suite. J'attrape mon téléphone et actionne l'appareil photo. J'avance encore de quelques pas et me décide à appeler.

— Y a quelqu'un?

L'écho de la montagne me renvoie ma question à la figure.

— Vous avez vu quelque chose? me demande Mireille d'une voix chevrotante.

Elle et sa tuque rose m'exaspèrent, mais ce n'est pas le moment de laisser libre cours à ma colère. Je plisse les yeux pour percer la pénombre. Comme je ne vois rien, je décide de prendre une série de photographies. Le flash de l'appareil illumine le sous-bois. Ses éclairs s'évanouissent trop vite et ne me permettent pas de bien fouiller les environs du regard, mais ils attirent vers nous d'autres participants à la battue.

— Ça va? s'inquiète un homme vêtu d'une veste à carreaux en s'approchant à grandes enjambées.

— Fausse alerte, répond Mireille.

Je regarde encore la dernière photo. C'est

très petit, mais une tache plus claire attire mon attention sur le tronc d'un arbre. Quand je l'agrandis, l'image devient floue, mais je crois tout de même reconnaître la forme d'une main.

3

Stoneham, 16 h 19

Nous sommes tous de retour au point de départ. Je n'ai pas trouvé la source du sifflement et je n'ai pas osé montrer la photo à Mireille ni aux autres. J'ai appelé à plusieurs reprises, sans succès. Peut-être ai-je été victime de mon imagination !

La battue est terminée et personne n'a retrouvé Benjamin Leblanc. Les policiers nous apprennent que le doigt sectionné a été transporté dans un laboratoire pour être identifié, tandis que le pendentif a été remis aux enquêteurs de la Sûreté du Québec. Je m'apprête à quitter les lieux quand Mireille revient vers moi. Pour la première fois de la journée, elle me sourit. Ça ne me dit rien qui vaille.

— Je suis harassée, avoue-t-elle en arrachant sa tuque rose.

Ses cheveux sont hirsutes et ridicules, mais l'endroit et la circonstance me paraissent mal choisis pour éclater de rire.

— Vous devriez rentrer chez vous. Nous avons eu une rude journée.

— D'après vous, qu'est-il arrivé au gamin ?

— Nous n'avons pas suffisamment d'indices pour soutenir une hypothèse.

— Moi, je crois qu'il a été enlevé, affirme-t-elle.

Mireille parle beaucoup trop fort à mon goût. Je suis certain qu'elle désire être entendue de tous ceux qui ont participé à la battue.

— Qu'est-ce qui vous fait croire ça ?

— Je ne sais pas. Mon intuition féminine, sans doute !

Des gens s'agglutinent autour de nous. Chacun y va de sa théorie sur le sort du garçonnet. Je m'efforce de ne pas prendre part à la discussion, préférant écouter les débats. Au bout de quelques minutes, Mireille, qui semble bien connue dans la région, a réussi à convaincre la plupart des personnes présentes qu'il s'agit bel et bien d'un enlèvement.

— Il est inutile de perdre notre temps sur cette montagne, conclut-elle. Le pauvre petit ne s'y trouve certainement plus…

Je m'éloigne subtilement du groupe pour me rendre à ma voiture, garée un peu plus bas. Je suis sur le point d'y monter quand un éclat de voix me parvient.

— Au revoir, Félix !

Mireille m'observe comme un prédateur guette sa proie. Malgré la distance qui nous sépare, je remarque la dureté de son regard et ses lèvres pincées. Je la salue, tout en sortant mon téléphone de ma poche. Quand elle comprend que je m'apprête à la photographier, elle se détourne vivement et disparaît de ma vue.

Je suis transi. Dès que je m'engouffre dans ma voiture, je règle le chauffage au maximum. Avant de quitter les lieux, je consulte les actualités sur mon téléphone. J'y apprends que le beau-père du garçon disparu, Sébastien Simoneau, est toujours hospitalisé. Il semble qu'il soit incapable de prononcer la moindre parole.

La nuit tombe quand je rentre chez moi et Troodie m'accueille en me tournant autour. Je lui caresse le sommet de la tête et elle se met à ronronner. Je me rends compte que je suis fourbu et affamé. Avant de me préparer à manger, je me débarrasse de mes vêtements transpercés par la pluie au profit d'un survêtement de coton très chaud.

La pluie ne veut pas s'arrêter. Je l'entends cogner contre mes fenêtres, charriée par le vent. Le silence qui règne chez moi m'oppresse.

Je choisis d'écouter un album de John Mayer et, dès que les premières notes s'envolent dans l'air, je me sens mieux.

Je n'ai pas l'énergie de me préparer autre chose qu'un sandwich. Pendant que je superpose le pain de blé, le jambon fumé, les tomates biologiques et la mayonnaise, je repense à mon étrange journée en montagne. Pourquoi Mireille a-t-elle voulu nous convaincre que l'enfant avait été enlevé ? Il est manifeste qu'elle ne souhaitait pas que des gens fassent de nouvelles recherches dans la forêt ancienne du mont Wright. Pourquoi ? Qu'a-t-elle à cacher ?

J'avale mon sandwich en quelques bouchées et, armé de mon ordinateur portable, me laisse choir sur l'unique canapé du salon. Incapable de penser à autre chose, je décide de faire quelques recherches sur la forêt ancienne. Wikipédia m'apprend que la montagne a longtemps appartenu à la famille Wright avant d'être léguée à la municipalité de Stoneham-et-Tewkesbury par son dernier propriétaire. Si on qualifie sa forêt d'ancienne, c'est qu'elle n'a jamais fait l'objet de coupes forestières. On y trouve des bouleaux jaunes et des épinettes âgés de près de trois cents ans.

— Fascinant… dis-je tout haut sur un ton légèrement sarcastique.

Troodie apparaît à côté de moi. Elle se roule en boule tout contre ma cuisse et se met à ronronner. Je continue à fureter dans les résultats de recherche de Google, mais rien d'autre n'attire mon attention.

Il fait noir, il y a de l'orage, je suis épuisé et j'ai le ventre plein. Je dépose mon ordinateur sur le sol et m'étends sur le canapé en prenant soin de ne pas trop bousculer Troodie. Mes paupières sont si lourdes que je n'arrive pas à combattre le sommeil plus longtemps. Il n'est pas encore dix-neuf heures.

Un feulement infernal me réveille en sursaut. Je bondis sur mes pieds et cherche Troodie du regard. Je l'aperçois, perchée sur le rebord de la fenêtre du salon, tout près de moi. Elle a le dos rond, le poil hérissé, et elle fixe de ses yeux exorbités par la peur quelque chose qui se trouve à l'extérieur. Je fais un pas vers elle, mais elle proteste en poussant un miaulement guttural.

— Qu'est-ce qu'il y a, Troodie?

Ma voix ne l'apaise pas du tout. Elle feule à nouveau et exhibe ses dents pointues. Je n'ai jamais vu mon chat dans un état pareil. Je recule et contourne le canapé pour me placer derrière elle. J'espère découvrir ce qui la rend aussi agressive. Puisque j'habite au deuxième étage, qui plus est dans un logement qu'on pourrait qualifier de grenier, je me convaincs qu'il ne peut pas s'agir d'un être humain.

Par la fenêtre, je ne vois rien, sinon l'édifice d'en face et les lumières de la rue Saint-Jean. Il y a bien quelques gouttelettes de pluie qui glissent sur le verre, mais rien d'autre. Pas d'oiseau ni de rongeur. Rien.

Troodie miaule à fendre l'âme. Même si cela semble lui déplaire, je m'approche d'elle et avance doucement ma main vers son dos. Elle tourne son museau vers moi et crache une dernière fois avant de s'enfuir en courant.

Abasourdi par son comportement, je me poste à la fenêtre. J'écrase mon visage contre le panneau de verre pour tenter de voir s'il n'y aurait pas quelque chose sur le toit. Je ne vois rien. En contrebas, les vitrines des commerces sont toujours illuminées. Les trottoirs sont déserts et les véhicules peu nombreux. Il pleut toujours, mais apparemment le vent s'est calmé. Je me demande alors si je dois ouvrir la fenêtre.

J'ai encore le nez collé sur le carreau quand une puissante rafale serpente sur les toits de la ville et fait geindre leurs vieilles charpentes. Au même instant, dans mon appartement, les lumières vacillent. Mon cœur manque un battement quand quelque chose frappe violemment contre ma fenêtre. Instinctivement, je fais un pas en arrière et protège mon visage de mes mains.

Troodie recommence à miauler de façon inquiétante. Je jette un nouveau coup d'œil par la fenêtre dans l'espoir de comprendre ce qui vient de se passer, mais je ne vois toujours rien. Je délaisse la fenêtre pour retrouver Troodie qui s'est réfugiée sous le lit de ma chambre. Quand j'entre dans la pièce, tout s'éteint. L'orage a eu raison du réseau électrique et la ville est plongée dans le noir. Je sursaute quand un objet percute la fenêtre du salon pour la seconde fois.

Un étrange sentiment m'envahit. Dans le noir complet, au milieu de ma chambre à coucher, je n'ose plus bouger. J'essaie de me raisonner, mais ne parviens pas à chasser l'impression qui m'habite.

Je ne suis pas seul.

Mes doigts courent sur mon poignet gauche. Je triture maladroitement ma montre quand enfin, son boîtier s'illumine. Il est minuit treize.

4

Québec, 5 h 53

L'électricité est rétablie quelques minutes seulement après son interruption. Dans l'espoir de dissiper la désagréable sensation d'une présence chez moi, je fais lentement le tour de mon appartement. Je ne remarque rien d'étrange, mais ce n'est néanmoins qu'à peine rassuré que je me mets au lit. Je ne réussis pas à refermer l'œil de la nuit.

Je passe sous la douche. L'eau chaude me fait du bien, mais elle ne remplace pas une bonne nuit de sommeil. J'enfile des vêtements confortables et, bien que ce soit dimanche, je décide de me rendre au journal. Avant de quitter mon appartement, je retourne à la fenêtre du salon. Le jour n'est pas encore levé, mais la nuit est moins noire et il ne pleut plus. J'ouvre la fenêtre et passe ma tête à l'extérieur. Je constate que quelque chose est accroché à la gouttière, juste sous ma fenêtre. Malgré l'obscurité, je crois reconnaître une longue branche d'arbre plutôt tordue. L'une de ses extrémités se termine par un important enchevêtrement de rameaux. Je m'étire, mais n'arrive pas à attraper la branche. Je prends appui sur le rebord de la fenêtre et me hisse de façon à ce que la partie supérieure de mon corps passe à l'extérieur. Je m'accroche au châssis de la main droite et tends la gauche vers l'objet. Mes doigts se referment sur des rameaux rabougris. Je hisse doucement la branche vers moi. Elle est très lourde et je crains qu'elle ne m'échappe.

Je réussis à la récupérer et constate qu'elle provient d'un conifère. Elle est mouillée, son écorce est plutôt rugueuse et ses multiples rameaux lui donnent l'aspect d'un balai. En l'inspectant, je la soupèse à nouveau. Comment une branche aussi lourde s'est-elle retrouvée là ? Il n'y a aucun arbre dans les environs. Est-il possible que la tempête ait propulsé un objet aussi lourd contre ma fenêtre ?

Parce que je crains que Troodie ne mordille ses rameaux, je range la branche insolite dans un placard comme s'il s'agissait vraiment d'un balai. Avant d'en refermer la porte, je la photographie. Troodie sort de la chambre au même instant. Le flash de l'appareil l'effraie et elle retourne se cacher sous le lit. Je me dis qu'un peu de tranquillité lui fera le plus grand bien et je quitte le domicile.

Il ne fait pas trop froid et le ciel est dégagé; je décide donc de partir à pied. Je m'arrête à la brûlerie où je m'offre un grand café et une brioche aux trois chocolats. Quelques minutes plus tard, je suis assis à mon bureau. J'allume mon ordinateur et croque avidement dans la pâtisserie.

Peu importe le jour, peu importe l'heure, il y a toujours quelqu'un à la rédaction d'un journal. Étonnés de me voir à mon bureau, quelques collègues viennent me saluer. Ils remarquent tous ma gueule de déterré et ne se gênent pas pour m'en faire part.

— J'ai dormi sur la corde à linge…

Après les avoir tous gentiment chassés, je commence à écrire un papier sur la battue à laquelle j'ai participé la veille. J'y inscris tout ce que j'ai vu et tout ce que j'ai pu apprendre, y compris les ragots colportés par Mireille. Je viens de mettre le point final à mon article quand Marie-Frédérique, une collègue que j'apprécie tout particulièrement, apparaît de l'autre côté de mon écran.

— Qu'est-ce que tu fais ici? me demande-t-elle.

Marie-Frédérique a de longs cheveux bruns, de grands yeux verts et des lèvres pulpeuses qui me rappellent celles d'Angelina Jolie. Elle est plutôt menue et pas très grande. Elle porte un simple jeans et un chandail orange brûlé. Les effluves de son parfum floral me plaisent vraiment beaucoup. Je lui raconte mon escapade au mont Wright et la nuit blanche qui s'en est ensuivie. J'évoque aussi l'épisode de la branche d'arbre ; je lui montre la photo.

— C'est un balai de sorcière, dit-elle.

L'image me fait sourire, mais Marie-Frédérique, elle, semble très sérieuse.

— Ce n'est pas une blague, Félix. C'est une affection qui cause ce genre de déformation chez l'arbre. Elle porte justement le nom de maladie du balai de sorcière.

Une recherche sur le web me confirme ses dires. Un article m'apprend même que cette maladie n'est pas rare chez les épinettes. La forêt du mont Wright est justement réputée pour compter de nombreux spécimens de cette variété de conifères ; cela me vient spontanément à l'esprit, mais y a-t-il un lien entre ma présence à Stoneham hier et cette branche échouée dans ma fenêtre ? Ce serait de la superstition de le croire.

— Tu comptes retourner au mont Wright ? me demande Marie-Frédérique sur le ton de la confidence.

— Qu'est-ce que tu crois? dis-je avec un sourire en coin.

— Tu devrais essayer de parler à la mère de Benjamin Leblanc.

— Il me faudra rencontrer beaucoup de gens, si je dois écrire à nouveau là-dessus.

Un éclair malicieux passe dans le regard de ma collègue.

— Dois-je comprendre que tu n'es pas officiellement sur cette affaire?

Je hoche la tête et elle éclate de rire.

— Tu devrais soumettre ton article au patron, me suggère-t-elle.

Je m'exécute sous ses yeux en envoyant mon texte par courriel au rédacteur en chef. Officiellement, il n'est pas disponible durant les fins de semaine, mais, comme c'est un bourreau de travail, je suis certain qu'il prendra connaissance de mon message dans l'heure.

Marie-Frédérique me fait promettre de la tenir au courant de la suite des événements et retourne vaquer à ses occupations. Je décide de passer par le bureau de Julien Larose, graphiste au journal et irréductible geek. C'est aussi mon meilleur ami.

Julien devrait travailler au montage d'un cahier spécial à paraître, mais je le surprends à lire les articles d'un forum consacré à sa passion, la haute technologie. Quand il s'aperçoit de ma présence, il ferme précipitamment le couvercle de son ordinateur portable et se mord la lèvre inférieure. À en juger par son expression coupable, mon irruption le met plutôt mal à l'aise.

— Félix! Comment fais-tu pour te déplacer aussi silencieusement?

Pour toute réponse, je lui offre un sourire. Quand je dépose mon iPhone à côté de son ordinateur, son air contrit devient instantanément espiègle.

— Qu'est-ce que tu veux, encore?

Je lui explique que j'ai besoin de son aide pour améliorer la résolution d'une photographie. Il attrape l'appareil et, sans poser de questions, le branche à son ordinateur dont il rouvre le couvercle. J'observe ses mouvements vifs et précis, l'agilité de ses doigts qui parcourent le clavier à une vitesse fulgurante. En un battement de cils, toutes les photographies emmagasinées sur la carte mémoire de mon appareil sont copiées sur son disque dur.

— C'est laquelle? me demande-t-il en furetant à travers la galerie de photos.

Julien est d'origine cubaine. Il a été adopté par une famille québécoise alors qu'il n'avait pas encore un an. Sa peau a la couleur d'un café au lait, il a les yeux noisette et les cheveux rasés. C'est un solide gaillard à la musculature saillante, dont les larges épaules et le sourire ravageur font craquer les filles.

Sans rien lui raconter de ma virée de la veille dans la forêt ancienne, je lui désigne la photographie en question. En quelques clics de souris, il la fait passer par une série de logiciels qu'il utilise habituellement dans le cadre de son travail. Le bout de mon index s'écrase contre l'écran de l'ordinateur pour désigner le tronc d'arbre sur lequel se trouve la tache blanche.

— Tu fais du camping, maintenant? dit-il sur le ton de la rigolade en agrandissant l'image.

— Je te raconterai plus tard, dis-je en plissant les yeux. Je veux voir ce qu'il y a sur cet arbre. Peux-tu améliorer la résolution de l'image?

— C'est comme si c'était fait.

Julien sélectionne d'abord la partie de l'image qui nous intéresse et ensuite deux ou trois commandes dans les menus déroulants. La photographie disparaît de l'écran pour réapparaître aussitôt. Petit à petit, la résolution s'améliore et les formes, les teintes et les textures gagnent en netteté. Avant même que j'aie le temps de prononcer un mot, Julien confirme mes soupçons.

— C'est une main! énonce-t-il en se tournant vers moi. Tu jouais à cache-cache avec quelqu'un?

Je ne relève pas la plaisanterie et me penche par-dessus l'épaule de mon ami. Les yeux rivés à l'écran, je détaille la main qui apparaît maintenant très clairement sur le tronc d'arbre. Ses doigts semblent noueux et se terminent par des ongles très longs. La peau est d'une pâleur extrême et prend par endroits des nuances de bleu. Le poignet est mince et décoré d'un bracelet doré; il semble émerger de la manche d'un ample vêtement noir.

— Tu vas me dire de quoi il s'agit? s'impatiente Julien en tendant la main comme s'il désirait que je lui donne un pourboire.

Je lui résume les événements qui entourent la battue organisée au mont Wright. Les yeux de mon ami deviennent de plus en plus pétillants à mesure que je relate les quelques faits que je connais. Quand je lui parle du pendentif du petit Benjamin, il recommence à fouiller dans la galerie de photos. Il l'observe un moment avant de passer aux suivantes.

— Et tu dis que cette branche a percuté ta fenêtre la nuit dernière? demande-t-il, incrédule, en étudiant la photographie de l'objet en question.

— C'est exact. Troodie a eu très peur.

— Sûrement pas autant que toi.

Je réponds à Julien par une bourrade et reprends mon téléphone qui retrouve sa place au fond de ma poche.

— On fait quoi, maintenant ? me demande-t-il en éteignant son ordinateur.

Julien se lève et attrape le manteau accroché au dossier de sa chaise. Il l'enfile et se plante tout juste devant moi.

— Toi, tu supprimes immédiatement toutes mes photographies de ton ordinateur pendant que, moi, je vais faire un tour à Stoneham.

— Je t'accompagne.

Julien enfonce quelques touches sur son clavier et je vois littéralement mes photos s'effacer sur son écran.

— Non, tu as du travail.

— Ça, ça ne te regarde pas, ronchonne Julien d'une voix sourde.

Un silence sépulcral règne dans les locaux du journal. Il y a bien quelques personnes qui y travaillent, mais elles sont toutes absorbées par leurs tâches et personne ne dit le moindre mot. Julien fait mine de tendre l'oreille avant de lever les yeux au ciel.

— Fais-moi sortir d'ici, quémande-t-il. Une telle atmosphère doit être mortelle.

Une mélodie s'échappe de mon téléphone pour m'informer que je viens de recevoir un courriel. C'est le rédacteur en chef et son message ne contient que très peu de mots: *C'est ta chance.*

Il n'en faut pas plus pour que je retourne chez moi prendre ma voiture, Julien sur les talons.

5

Stoneham, 8 h 17

Malgré la brioche que j'ai mangée à l'aube, j'ai l'estomac dans les talons et Julien aussi. Parce que nous sommes certains d'y trouver ce qu'il faut pour nous rassasier et surtout parce que le menu respecte notre budget, nous nous arrêtons au restaurant *McDonald's* du village. Dès que j'en franchis les portes, mon œil est immanquablement attiré par une tache rose que je devine au fond de la salle à manger. Pas de doute, Mireille et sa tuque flamboyante sont ici.

Julien et moi nous dirigeons vers le comptoir. Je commande un sandwich déjeuner totalement décadent, accepte la galette de pomme de terre que me propose la caissière et demande un grand café. Quelques minutes plus tard, plateau en main, mon ami et moi nous dirigeons vers la section où se trouve Mireille. Elle est entourée d'une dizaine de personnes. Tous bavardent dans le plus grand désordre. Nous nous installons à une table pour deux et je tends l'oreille. Évidemment, la femme à la tuque rose et sa bande de joyeux lurons discutent de la disparition de Benjamin Leblanc. Mireille remarque ma présence à l'instant même où je croque dans mon sandwich bien gras. Elle me salue d'un léger mouvement du menton et braque son regard d'oiseau de proie sur Julien. On croirait qu'elle n'a jamais vu de sa vie un homme à la peau noire.

— Pourquoi me regarde-t-elle comme ça? s'étonne Julien en trempant précautionneusement ses lèvres généreuses dans le café très chaud. Tu la connais?

Je lui explique que j'ai participé à la battue à ses côtés. Indifférent, Julien hausse les épaules et continue à engloutir son repas.

— Il y a des centaines d'étrangers qui viennent tous les jours dans ce village, claironne un homme tout près de nous. Les parcs naturels, le centre de ski et le club de golf attirent bien trop de monde par ici!

— Pas étonnant qu'un drame aussi épouvantable se soit produit chez nous, renchérit un autre.

— Ce n'est certainement pas quelqu'un du

coin qui a enlevé ce garçon, martèle Mireille sur un ton cassant.

Ahuris par les propos des gens du village, Julien et moi échangeons un regard incrédule. Nous demeurons tout de même silencieux dans l'espoir de saisir d'autres bribes de cette singulière conversation.

— Des nouvelles de Sébastien Simoneau? demande une femme assise à la droite de Mireille. Est-il sorti de l'hôpital?

— Nous n'en savons rien, répond Mireille en se tournant vivement vers sa voisine.

— Je croyais que...

— Ce ne sont que des ouï-dire, Bernadette. Tu n'as pas envie de colporter des faussetés, n'est-ce pas?

Muselée, la femme attrape son gobelet de café et baisse les yeux vers les restes de nourriture qui gisent au fond de son plateau.

— Et la mère du garçon? demande un homme aux cheveux gris. Est-elle toujours malade?

— Oui et son état dégénère rapidement, affirme une autre.

— La pauvre, marmotte Bernadette.

J'essaie de ne pas avoir l'air d'écouter la conversation du groupe, mais je sais que Mireille n'est pas dupe. Elle jette de fréquents coups d'œil dans notre direction. Julien joue la comédie bien mieux que moi. Il a l'air complètement absent, mais je sais qu'il ne manque pas un mot.

— Je crois qu'on devrait arrêter de parler de tout ça, dit Mireille en se levant sans crier gare.

— Tu as abordé le sujet la première, rétorque sa voisine.

— Eh bien ! j'ai eu tort.

Elle bouscule quelques-uns de ses compagnons et quitte la salle à manger d'un pas empressé. À travers les baies vitrées du restaurant, je la vois monter à bord d'un 4 x 4 gris. Pendant que je l'observe, Julien se tourne vers le petit groupe. Son visage s'éclaire d'un large sourire et il balance :

— Elle s'est levée du mauvais pied, votre amie !

— Ça fait onze ans qu'elle est de mauvaise humeur, gronde l'homme aux cheveux gris.

Sa remarque provoque un éclat de rire général.

— Elle paraît secouée par ce qui est arrivé au petit Benjamin, ajoute Julien.

— Comme tout le monde.

J'étire le cou pour croiser le regard de l'homme avec qui mon ami discute. Son visage ne m'est pas étranger et je comprends à son expression qu'il reconnaît également le mien.

— Vous étiez de la battue, n'est-ce pas? demande-t-il en tendant la main vers moi.

Nous nous serrons la pince et nous présentons. Il se prénomme Michel; il est retraité et habite une petite municipalité des environs, Saint-Adolphe.

— Si je ne me trompe pas, c'est vous qui avez retrouvé le bijou que portait le petit.

— En effet.

Tous les visages sont tournés vers moi. Julien profite du moment pour chaparder ma galette de pomme de terre.

— Vous êtes journaliste?

La question me prend par surprise. J'en suis encore à mes débuts dans le métier et je n'ai pas l'habitude de mener des enquêtes. Comme j'ai l'air de quelqu'un qui réfléchit au mensonge qu'il va servir, Michel comprend qu'il a visé juste.

— Vous pouvez retourner là d'où vous venez, monsieur Saint-Clair. Il ne se passe rien d'extraordinaire ici, en tout cas rien qui ne puisse être résolu par la police.

— Vous croyez que l'enfant a été kidnappé?

— C'est ce que croit Mireille. Moi, je n'en sais rien.

L'homme fait mine de se détourner de nous, mais je n'entends pas en rester là.

— Je dois me rendre à l'hôpital pour voir le beau-père de Benjamin un peu plus tard cet après-midi, lui dis-je d'une voix forte. Je suis venu ici dans l'espoir d'en apprendre un peu plus sur lui. Vous le connaissez ?

L'homme me fixe pendant d'interminables secondes. Malgré le mensonge que je viens de proférer, je ne bronche pas. Les doigts de Michel tambourinent nerveusement sur la surface de la table. Tous ceux qui l'accompagnent sont accrochés à mes lèvres, à part peut-être Bernadette, qui a la mine basse depuis qu'elle a été rabrouée par Mireille. Armée d'un stylobille, elle griffonne distraitement sur une serviette de table.

— Sébastien Simoneau est un homme sans histoire, affirme Michel. Maintenant, monsieur Saint-Clair, je vous prie de nous laisser déjeuner en paix.

Julien semble sourd aux propos que nous échangeons et continue à boire son café le plus normalement du monde. Quand je lui demande s'il est prêt à partir, il secoue mollement la tête.

— Je ne bouge pas d'ici, murmure-t-il.

Les minutes s'écoulent, mais nos voisins de table savent que nous tendons l'oreille et ils n'échangent plus que des banalités. Michel est le premier à marcher dans les pas de Mireille et à quitter le restaurant. Avant de partir, il adresse à ses amis une étrange salutation.

— Il ne faut jamais regretter les sacrifices qu'on choisit de faire, mes amis. Bonne journée !

Après son départ, le groupe se dissout rapidement. Déçu par la tournure des événements, je me saisis de mon plateau et me dirige vers la poubelle. Je m'apprête à y balancer mon gobelet de café quand je remarque un bout de papier couvert de gribouillis. Malgré le dégoût que cela m'inspire, je plonge la main dans les ordures.

— Qu'est-ce que tu fais là ? s'étonne Julien.

Je secoue la serviette de table et la défroisse délicatement. Il me faut quelques instants pour déchiffrer ce qui y est inscrit. À travers tous les barbouillages tracés à l'encre bleue, un mot et un symbole étrange attirent mon attention.

URSULA

— Ce prénom évoque quelque chose pour toi ? me demande Julien.

Bien que je sois assailli par une désagréable sensation, je secoue la tête.

— Et ça ?

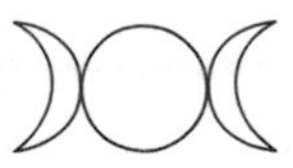

— Je ne connais pas ce symbole, mais j'ai l'intuition qu'on tient quelque chose…

6

Stoneham, 9 h 33

Il me suffit de faire une brève recherche sur mon téléphone intelligent pour découvrir l'adresse de la famille de Benjamin Leblanc. Julien et moi quittons le restaurant et roulons tout droit vers la résidence en question. Il s'agit d'une maison de briques blanches munie d'une élégante tourelle, sise au milieu d'un vaste terrain agrémenté de dizaines d'arbres. L'aire de stationnement n'est occupée que par une seule voiture, mais plusieurs véhicules sont garés en bordure de la route. J'immobilise mon auto au bout de la rangée et étire le cou pour mieux détailler les environs. Les maisons voisines sont à bonne distance et je n'aperçois personne aux alentours. Chez les Leblanc, on a tiré tous les rideaux, de sorte qu'il est impossible de voir ce qui se passe à l'intérieur. La truffe d'un gros chien blond, visiblement au bout de sa laisse, émerge à travers la haie de cèdres du voisin. Quand je réalise que nous nous trouvons au beau milieu du quartier résidentiel d'un village paisible, que je n'ai rendez-vous avec personne et que je n'ai pas le moindre plan pour poursuivre mon enquête, je me trouve affreusement bête. Julien en rajoute en faisant ses remarques à voix haute.

— Je ne vois pas ce que nous sommes venus faire ici. Tu ne vas tout de même pas cogner chez ces gens sans t'être annoncé ?

— Je veux tout savoir sur cette famille. Je veux connaître leurs habitudes, voir leur milieu de vie...

— D'accord, mais après ?

— Il faudra peut-être que je parle aux policiers.

À l'aide de mon téléphone, je photographie la résidence de la famille. Au même instant, une femme un peu grassouillette aux cheveux gris et au visage envahi par d'énormes lunettes apparaît sur le porche. Elle tient un sac d'ordures dans la main droite et un chiffon blanc dans la gauche. D'un pas légèrement vacillant, elle marche jusqu'à la rue. Sans réfléchir, je bondis hors de ma voiture et m'avance vers elle. Elle me toise avec une curiosité teintée de méfiance.

— Qui êtes-vous ? aboie-t-elle en me désignant d'un mouvement du menton.

Pas de faux-fuyant, pas d'entourloupette, même si je risque d'être chassé avec un bon coup de pied aux fesses.

— Félix Saint-Clair du *Télégraphe de Québec.*

— Encore un journaliste! grogne-t-elle en balançant son sac d'ordures dans une poubelle de plastique noir.

Julien me rejoint d'un pas nonchalant. Quand le regard de la femme se pose sur lui, je remarque tout de suite qu'elle le trouve séduisant. Elle le dévore des yeux et un sourire coquin soulève un côté de sa bouche. Elle devient aussitôt beaucoup moins agressive et, pour la toute première fois de la journée, je me félicite d'avoir emmené mon ami.

— Vous êtes de la famille du petit?

Ma question ramène brusquement la femme à la réalité. Son regard est beaucoup moins tendre quand elle le repose sur moi.

— Je suis sa grand-mère. Qu'est-ce que vous voulez?

— J'aimerais parler à la mère de Benjamin.

— Impossible.

— Pourquoi? Elle n'habite pas ici?

— Bien sûr qu'elle habite ici, vous le savez très bien! Elle est très malade, la pauvre.

— Vous êtes sa mère?

— Non. Je suis la grand-mère paternelle de Benjamin, donc l'ex-belle-mère de Sarah.

Julien fait quelques pas de plus et adresse un de ses formidables sourires à la femme. Elle ne se liquéfie pas complètement devant lui, mais le charme cubain de mon compagnon opère tout de même.

— Félix vous propose un article intimiste à travers lequel vous et votre famille pourrez demander l'aide de toute la population de la ville pour retrouver Benjamin.

— C'est inutile. On va le retrouver dans les prochaines heures, dit la grand-mère en agitant son torchon. C'est ce que j'ai demandé à saint Antoine de Padoue et il va exaucer mes prières, même s'il se passe des choses pas catholiques dans le coin!

Une autre femme, beaucoup plus jeune, celle-là, apparaît à son tour sous le porche de la maison. Elle a les cheveux roux et la taille fine; elle porte des lunettes fumées. Je reconnais Laurie, la marraine de Benjamin, rencontrée lors de la battue sur le mont Wright. L'expression de son visage ne laisse aucun doute sur son état d'esprit: elle est d'humeur massacrante.

— Francine, s'exclame-t-elle, à qui parles-tu?

Sans même nous adresser la plus petite salutation, la femme tourne les talons et rejoint Laurie sur le pas de la porte. Elle disparaît rapidement à l'intérieur de la maison tandis que la marraine continue à nous observer comme le ferait un oiseau de proie qui toiserait deux souriceaux.

— Partez! lâche-t-elle dans un cri. Et ne revenez plus! Ma sœur est en train de mourir et son fils vient de disparaître! Vous n'avez pas honte?

Julien attrape mon bras et me force à reculer vers la voiture. Lorsqu'elle comprend que nous nous apprêtons à partir, Laurie retourne elle aussi à l'intérieur de la maison et claque violemment la porte derrière elle.

— Des choses pas catholiques, répète Julien en me poussant bien malgré moi à quitter les lieux.

— C'est trop étrange, tout ça, dis-je en manipulant nerveusement mon trousseau de clés.

Julien et moi retournons à ma voiture et nous y engouffrons rapidement. Je n'ai pas encore bouclé ma ceinture que j'aperçois le 4 x 4 gris de Mireille qui passe en sens inverse. Mon ami n'a rien vu, mais il se raidit quand je lance la voiture à toute allure avant de lui faire faire demi-tour. Heureusement, la route est déserte et nous mettons peu de temps à rattraper le véhicule de la femme à la tuque rose.

— Il y a quelqu'un avec elle, dis-je à Julien.

— Suivons-la. Avec un peu de chance, on découvrira où elle habite.

7

Lac-Delage, 10 h 07

Afin de ne pas être repéré, je préfère rouler à bonne distance du véhicule de Mireille. Je la file pendant les quelques minutes nécessaires pour quitter Stoneham et rejoindre le luxueux secteur du lac Delage. Je m'engage à sa suite sur le chemin qui entoure le lac. Elle freine brusquement et je crains qu'elle m'ait reconnu à travers son rétroviseur. C'est Julien qui aperçoit le premier le lièvre qui gambade innocemment sur la route.

— Elle a voulu éviter la bestiole, ricane-t-il nerveusement.

De lourds nuages envahissent le ciel bleu de ce matin d'automne. Le vent se lève et une bourrasque arrache les dernières feuilles accrochées à un érable immense. Mireille a considérablement réduit sa vitesse et je préfère me ranger sur le bas-côté. Un tourbillon de poussières et de feuilles mortes naît devant le véhicule immobile. Rendu nerveux par notre escapade, Julien éteint la radio d'un geste brusque. Seuls le ronronnement du moteur et le bruit que font les premiers grains de pluie en s'écrasant contre le pare-brise rompent le silence qui règne dans l'habitacle.

— Je trouve toute cette histoire très bizarre.

— Il fait froid. Tu peux mettre un peu de chauffage ? demande Julien en frissonnant.

Je m'exécute et une chaleur bienfaisante nous enveloppe presque aussitôt. Comme nous n'avançons plus, le moteur de ma voiture hybride s'éteint. Le véhicule de Mireille s'engage sous nos yeux dans une allée privée flanquée de hauts réverbères. Il y a tant d'arbres en bordure de la route que je n'arrive pas à voir le bâtiment vers lequel elle se dirige.

— Je veux savoir ce que cache cette femme, dis-je entre mes dents serrées.

Julien m'interroge du regard. La détermination qu'il lit dans mes yeux le renseigne mieux sur mes véritables intentions que tous les mots du monde.

— Tu veux aller voir de plus près, n'est-ce pas ?

Je hoche la tête, tout en identifiant notre position sur mon téléphone. Sans attendre, Julien descend de la voiture et fonce vers l'allée où s'est engouffré le véhicule de Mireille. Il disparaît à travers les arbres avant même que j'aie ouvert ma portière.

***

Le ciel laisse échapper quelques gouttelettes, mais on est encore loin de l'averse. En prenant bien soin de faire le moins de bruit possible, je rejoins Julien, qui est accroupi dans l'ombre d'une épinette noire. Il m'accueille en soulevant une branche basse qui m'arrive à la hauteur des épaules. Je prends place à ses côtés et découvre la gigantesque résidence où Mireille habite vraisemblablement.

La maison compte trois étages, des dizaines de fenêtres et de magnifiques toits rouges. Ses murs de briques grises lui donnent l'allure d'un manoir ancien. Adossée au lac, elle est encerclée par une épaisse ceinture de conifères. L'allée qui mène jusqu'à sa porte principale est faite de pierres et elle est bordée d'arbustes aux branches molles que le vent se plaît à faire onduler. Le 4 x 4 gris est garé devant l'entrée. Sur la surface du lac, la bourrasque fait naître des vaguelettes couronnées d'écume.

— On devrait faire le tour. Je veux savoir ce qui se passe dans cette maison.

Ma proposition n'étonne pas Julien qui

m'emboîte le pas à travers les arbres qui entourent la résidence. Nous avançons à petits pas, puisque le moindre mouvement fait craquer les brindilles sèches qui cèdent sous nos semelles. Par chance, le bosquet de conifères est assez dense pour que nous puissions nous approcher de la résidence sans craindre d'être vus.

Le ciel orageux devient tellement sombre qu'on se croit maintenant en pleine nuit. Au rez-de-chaussée, une fenêtre s'illumine. Je suppose que Mireille et son invitée sont seules dans cette grande demeure et j'entraîne Julien vers l'arrière de la maison. Nous quittons le refuge des arbres pour courir sur le gazon d'un gris presque bleuté. Hors d'haleine, nous nous adossons au mur de la résidence pour reprendre notre souffle. Julien pose ses longs doigts sur le rebord d'une fenêtre et s'apprête à étirer le cou pour jeter un coup d'œil à l'intérieur quand la lumière de la pièce s'allume elle aussi. Dans un mouvement un peu trop théâtral à mon goût, il se jette à plat ventre et rampe comme un animal le long de la fondation. Pétrifié, je tends l'oreille. Malheureusement, la fenêtre est fermée et je n'entends rien.

Je m'agenouille et passe à mon tour sous la fenêtre. À quatre pattes, Julien et moi continuons notre progression. Un gros bosquet de rosiers sauvages nous accueille à l'arrière de la propriété. En nous redressant, nous remarquons un solarium qui s'étire jusqu'à la rive du lac. À travers le feuillage des rosiers, je reconnais la frêle silhouette de Mireille qui pénètre lentement dans le solarium. Derrière elle, j'aperçois une toute jeune femme au ventre rebondi et à l'épaisse chevelure brune. D'un geste large, Mireille l'invite à prendre place dans un canapé à l'aspect moelleux chargé de coussins de satin rose.

Un coup de tonnerre nous fait sursauter. Quand Mireille se retourne vers les rosiers, Julien m'oblige à me plaquer au sol. Elle fouille les alentours du regard, mais ne remarque pas notre présence. Elle quitte précipitamment le solarium. Visiblement épuisée par sa grossesse, sa jeune invitée pose les mains sur son ventre et ferme les yeux. Quelques minutes plus tard, Mireille revient auprès d'elle et lui tend une coupe de cristal remplie d'un liquide ambré. Avant de s'en saisir et d'y tremper les lèvres, la jeune femme fourrage d'une main lasse dans ses longs cheveux.

— On devrait s'en aller, murmure Julien à mon oreille. On espionne ces gens pour rien.

Il se détourne au moment où la coupe de cristal glisse des mains de la femme enceinte et tombe sur le sol. Une seconde plus tard, elle s'évanouit et s'affale parmi les coussins de satin.

— Elle vient de s'évanouir ! Ou, alors, Mireille l'a empoisonnée !

Mon exclamation fait perdre l'équilibre à Julien qui bascule dans les rosiers. Quelques branches se cassent et le mouvement du bosquet attire à nouveau l'attention de Mireille dans notre direction. J'ai l'impression que son regard de hibou est braqué sur mon visage, mais il n'en est rien. Les feuilles sclérosées qui restent accrochées à l'arbuste malgré le temps froid et les grands vents réussissent à nous cacher.

Mireille s'approche de la jeune femme et tâte l'un de ses bras. Ses doigts remontent jusqu'à son cou, cherchent le pouls et finissent par soulever ses paupières. Visiblement satisfaite, elle abandonne sa victime et disparaît dans les profondeurs de la maison.

— J'appelle la police, dis-je en sortant mon téléphone de ma poche.

La main de Julien s'abat sur la mienne. L'appareil m'échappe et tombe dans l'herbe détrempée. Je le rattrape en maugréant à voix basse.

— Tu es fou, ou quoi ?

— Qu'est-ce que tu vas dire à la police ? chuchote Julien. Que tu t'amuses à violer l'intimité des gens ? Si c'est le cas, tu peux dire adieu à ta carrière de journaliste !

— On ne peut pas faire comme si on n'avait rien vu ! Cette femme est en danger !

— Tu as raison, mais il est hors de question que tu appelles la police.

Julien passe la main sur son crâne glabre pour chasser les gouttes d'eau qui y perlent. De mon côté, j'essuie négligemment la lentille de mon téléphone et j'essaie, à l'aide du zoom, de photographier le visage de la femme évanouie. À cet instant, Mireille réapparaît auprès de sa victime. Elle est maintenant vêtue d'un imperméable noir et coiffée d'une casquette de la même couleur. Elle jette un dernier coup d'œil à la jeune femme et s'avance vers une porte qui s'ouvre sur le jardin. Elle s'élance sans hésiter et se dirige d'un pas vif vers la maison voisine, dont on ne devine que les toits à travers les arbres. La chose est inespérée : la voie est libre.

— Je vais la suivre. Toi, tu dois aider cette pauvre femme.

Mon manteau est transpercé par la pluie, le vent cinglant me fait frissonner, j'ai de l'eau dans les yeux et mes doigts sont meurtris par les épines des rosiers, mais je fais fi de mon inconfort pour suivre la trace de Mireille. Je n'aperçois plus qu'un mouvement indistinct à la limite du boisé quand je dépasse le solarium et contourne l'aile droite du manoir pour m'approcher de la propriété limitrophe. Je jette un dernier regard derrière moi ; à pas de loup, Julien pénètre dans le solarium. Un peu rassuré, je fonce à la manière d'un commando vers la maison voisine.

8

Lac-Delage, 10 h 35

La maison vers laquelle Mireille se dirige est certainement inoccupée depuis plusieurs mois. Les mauvaises herbes ont envahi le jardin, toutes les fenêtres sont obstruées par d'informes draps blancs et je remarque que plusieurs bardeaux du toit, emportés par le vent, jonchent le sol. Malgré sa décrépitude, la résidence demeure imposante. Ses murs de pierres, les hautes colonnades qui décorent sa façade, ses volets noirs et le heurtoir d'argent qu'arbore la porte principale évoquent son prestige passé.

Mireille marche très rapidement et jette de fréquents coups d'œil par-dessus son épaule. Comme je me méfie d'elle, je m'assure de toujours rester à couvert. Elle dédaigne de rejoindre l'allée et coupe à travers le jardin pour gagner l'entrée. Malgré la distance, je constate qu'elle attrape le heurtoir d'argent et frappe trois fois. À ma grande stupéfaction, elle pénètre dans la maison sans attendre qu'on lui ouvre. Je sursaute quand mon téléphone se met à vibrer entre mes doigts. C'est Julien et je consulte immédiatement le message texte qu'il m'adresse. Trois mots : *Elle est vivante.*

Avant de m'approcher à mon tour de la maison abandonnée, je désactive la sonnerie de mon téléphone. J'hésite pendant une seconde. Dois-je rebrousser chemin et rejoindre Julien auprès de la femme évanouie ou pénétrer par effraction dans cette sinistre maison pour découvrir ce que Mireille y trame ?

Mon cœur bat très vite. Si les choses tournent mal, je risque de perdre mon travail et peut-être de me retrouver derrière les barreaux. Je repense alors au petit Benjamin et cela me convainc de foncer.

En me faufilant comme un rongeur à travers les herbes hautes, je ne mets que quelques secondes à rejoindre le porche. Comme toutes les fenêtres sont aveugles, je ne crains pas d'être vu par quelqu'un qui se trouverait à l'intérieur. Même si je suis certain de ne rien entendre, je colle mon oreille contre le battant de la porte. Je ne décèle rien, pas même une vibration, et cela me donne le courage de tourner la poignée. Avec une infinie précaution, je pousse la porte ; elle bascule sur ses gonds sans un grincement.

Le hall d'entrée est plongé dans l'obscurité. Malgré la pénombre, je distingue dans un coin un gros fauteuil tendu de velours pourpre, une console sur laquelle trône un chandelier de bronze, un lustre de cristal envahi par les toiles d'araignée qui descend du plafond et un tapis racorni couvert de boue. Le vent qui s'engouffre par la porte entrouverte fait tinter les pendeloques du luminaire et me force à la refermer un peu plus brusquement que je ne le souhaiterais. Haletant, je plaque mon dos contre le mur et tends l'oreille. Un éclat de voix me fait grimacer.

— Ursula ? Où êtes-vous, Ursula ?

C'est la voix de Mireille. Je me persuade qu'elle n'a rien entendu, mais je reste tout de même parfaitement immobile. La femme continue d'appeler. À en juger par le son de sa voix qui diminue, je comprends qu'elle s'éloigne de l'entrée. Je m'autorise un soupir de soulagement.

Les chaussures de Mireille claquent sur les parquets de bois. Dans le silence complet, le bruit de ses semelles résonne comme autant de coups de revolver. Je profite du bruit que font ses déplacements pour avancer de quelques pas. Je marche sur la pointe des pieds, silencieusement, et débouche dans une grande pièce au milieu de laquelle trône une table ronde. Un vase rempli de fleurs fanées depuis des lustres en occupe le centre. Quand je lève les yeux, j'aperçois un énorme chandelier suspendu et une mezzanine encerclée par une rampe de bois. Je devine un escalier magistral au fond de la pièce. Il s'enroule vers l'étage comme s'il s'agissait de l'épine dorsale de la maison.

— Ursula !

Mireille revient sur ses pas. Je me tapis dans une encoignure sombre et retiens mon souffle. Un instant plus tard, elle apparaît dans l'embrasure d'une porte. Mon cœur s'emballe quand je la vois se diriger vers l'escalier.

— C'est l'heure, Ursula.

Je connais à peine Mireille, mais sa posture voûtée et la raideur de ses mouvements me font croire qu'elle est extrêmement nerveuse. Ses yeux plissés fouillent sans succès les ténèbres qui baignent l'étage. Quand elle disparaît de ma vue, j'ose quitter ma cachette pour jeter un coup d'œil aux autres pièces.

Je découvre un salon dont le mobilier a été recouvert des mêmes draps blancs qui protègent les fenêtres. Un piano à queue occupe le fond de la pièce, tout près des grandes baies vitrées qui, je suppose, donnent sur le lac. Je ne m'attarde pas au salon et découvre une salle à manger où il n'y a plus que des chaises, un miroir au cadre richement ornementé et un vaisselier surchargé de verres de toutes sortes. La cuisine attenante est vide, mais des assiettes sales ont été abandonnées dans l'évier. Je débouche finalement dans une bibliothèque somptueuse qu'a jadis réchauffée un âtre où ne règnent plus que des cendres. Soudain, j'entends un bruit sourd, un peu comme si on traînait quelque chose de pesant sur le plancher de l'étage.

À pas feutrés, je retourne vers l'escalier que j'entreprends de gravir. Je suis plus lourd que Mireille et le bois des marches proteste sous mon poids. Alors que je poursuis ma progression, j'entends grincer des pentures et, à nouveau, la voix de Mireille me parvient.

— Pourquoi ne répondiez-vous pas, Ursula ?

Je me fige sur place et lève les yeux. Une faible lumière jaunâtre éclaire maintenant une partie de la mezzanine. Elle provient de la pièce dans laquelle Mireille s'apprête à pénétrer. La femme se tient toujours dans l'embrasure de la porte.

— Je t'en prie, Mireille, approche.

Cette voix me glace le sang. C'est un grognement guttural, rauque et teinté d'un fort accent britannique. Si Mireille n'avait pas prononcé le nom de son interlocutrice à plusieurs reprises, je n'aurais su dire s'il s'agit d'un homme ou d'une femme. Tétanisé au beau milieu de l'escalier, je n'ose même plus respirer, espérant entendre la conversation des deux femmes. Bien qu'on l'y ait invitée, Mireille ne pénètre pas dans la pièce.

— Je dois retourner dans la forêt, annonce la voix. Ici, je dépéris et personne ne vient me voir.

— C'est impossible, Ursula. La police fouille toujours la montagne dans l'espoir de retrouver l'enfant. Il vaut mieux que tu restes ici.

— Je ne crains pas les forces de l'ordre, tonne-t-elle.

La voix d'Ursula se brise. Elle paraît exaspérée et je détecte une certaine violence dans son ton.

— C'est trop dangereux.

— Je sais me cacher. Personne ne me voit jamais.

Les doigts de Mireille grattent le chambranle. Tout son être trahit sa nervosité.

— Je suis venue vous dire que j'ai enfin ce que vous m'avez demandé, dit Mireille, doucereuse.

— Où est-elle ?

— Chez moi.

— Tu sais qu'il est trop tôt pour elle, n'est-ce pas, Mireille ?

Le silence s'installe entre les deux femmes.

Mireille fait un pas vers l'intérieur de la pièce. J'en profite pour monter quelques marches qui, grâce au ciel, ne craquent pas. Je dois voir le visage de l'inconnue qui se cache ainsi dans une maison abandonnée.

— Qui est venu ici avec toi? demande Ursula en baissant la voix.

La question suscite chez moi une émotion d'une telle intensité que j'ai du mal à réprimer le haut-le-cœur. Je prends instantanément conscience du risque que ma curiosité me fait courir. Je suis en danger, je le sens jusque dans mes tripes.

— Je suis seule, Ursula.

— Je perçois une présence, s'entête la voix.

Sur la pointe des pieds, je gravis les dernières marches qui me séparent de l'étage et me glisse alors dans la noirceur d'un étroit couloir que je devine tout juste devant moi. À cet instant, Mireille fait volte-face et revient vers la mezzanine. Elle pose ses mains sur la rampe et jette un coup d'œil au rez-de-chaussée. Son regard suit l'escalier et remonte jusqu'à l'étage. Quand elle pose les yeux sur moi, je suis prêt à bondir, mais elle rebrousse chemin et retourne vers le rai de lumière jaune.

— Vous devez venir avec moi, Ursula. Ma nièce ne restera pas inconsciente très longtemps.

— Ainsi, c'est ta propre nièce que tu choisis de sacrifier, glapit Ursula.

— C'est une idiote ! crache Mireille d'une voix stridente. Sa vie ne vaut pas grand-chose.

— Toutes les vies sont précieuses à mes yeux.

— Alors, elle fera l'affaire. Quand pourrons-nous pratiquer le rituel ?

Ursula éclate d'un rire effrayant. Au bout d'un moment, elle s'essouffle et toussote.

— Patience ! s'exclame-t-elle. La triade n'est pas encore complète. Le garçon ne faisait pas l'affaire.

— J'en ai assez d'attendre ! explose Mireille d'une voix suraiguë. Je vous protège et je vous donne tout ce que vous demandez depuis assez longtemps. Je n'ai pas à souffrir parce que les autres ne remplissent pas leur part du pacte. Il est temps d'honorer votre parole, Ursula !

Le bruit d'un fauteuil qui glisse sur le sol se fait entendre. Ursula pousse un gémissement inquiétant et je devine en percevant un bruissement de tissu qu'elle s'avance vers Mireille.

— Préférerais-tu que je disparaisse ? grogne-t-elle. Que je ne revienne plus ? Que jamais je ne rappelle ton époux d'entre les morts ?

9

Lac-Delage, 11 h 02

Au bord des larmes, Mireille tourne les talons et se rue vers l'escalier. Elle le dévale aussi rapidement que le permet l'obscurité. J'entends ses pas qui claquent dans les couloirs, puis le bruit d'une porte qu'on referme brusquement. Je perçois le tintement des cristaux du lustre de l'entrée et le chuintement de la porte qui proteste devant tant de rudesse.

Dans la chambre, la lumière vacille et perd de son intensité. Un instant plus tard, je détecte l'odeur d'une chandelle qu'on vient d'éteindre. Je ne vois plus qu'une timide lueur découpée dans la noirceur du couloir par le rectangle de la porte.

— Viens me voir, dit la voix sépulcrale. Je t'en prie, viens me voir. Tu l'ignores peut-être, mais nous nous connaissons déjà.

Mon sang se fige dans mes veines quand je

comprends qu'Ursula me parle. Je n'ai pourtant pas bougé ni fait le moindre bruit. Je suis toujours caché dans le noir, à l'entrée d'un couloir dont je ne devine pas l'autre extrémité.

— Je peux t'aider, continue Ursula dans un grognement. Je sais lever le voile du temps, lire l'avenir et rappeler le passé. Ne veux-tu pas connaître ce que te réserve ta destinée ?

J'esquisse un mouvement vers l'escalier, mais une planche craque sous mes pieds et sa protestation freine mon élan.

— Je sais ce que ton cœur désire, reprend la voix qui me parvient plus distinctement à chaque mot. Je connais les rêves qui habitent ton esprit. Viens, je t'en prie ! Si tu m'aides, je t'offrirai tout ce que tu veux.

Un couinement me fait sursauter. Derrière moi, quelque chose gratte contre les parquets de bois. Je suppute qu'Ursula n'est pas seule et, stupidement, j'hésite à me retourner de peur de découvrir ce qui se cache dans mon ombre. Je ferme très fort les paupières et, dans la crainte d'un assaut, bande tous les muscles de mon corps. Une puissante bourrasque fait geindre la maison. Un tourbillon de vent, emprisonné dans la cheminée, provoque un étrange sifflement qui résonne dans toutes les pièces.

Je pousse un cri de terreur quand trois mulots

passent à toute vitesse entre mes jambes. Ma frayeur est le signal que j'attendais pour m'élancer comme un véritable fou dans l'escalier. Mes pieds s'emmêlent et j'évite de justesse un véritable plongeon vers le rez-de-chaussée. Mes doigts sont si crispés sur la rampe que j'en éprouve de la douleur. Je parviens au bas de l'escalier en un temps record. Mes chaussures n'ont effleuré que trois ou quatre marches.

— Reviens! supplie Ursula dans un cri affreusement rauque.

Je me retourne une seconde pour m'assurer que la femme ne me suit pas et je trébuche sur le tapis boueux de l'entrée. Les bras en avant, une grimace horrifiée peinte sur mon visage, je vole littéralement sur un mètre et percute le mur de plein fouet. Ma chute fait un vacarme épouvantable. Je roule sur le sol et heurte la console. Le choc fait tomber le chandelier de bronze qui s'écrase juste à côté de moi. Une douleur fulgurante me vrille le front, mais je me relève tout de même en un éclair, ouvre la porte et, sans prendre le temps de la refermer, cours dans l'allée qui mène à la rue.

Il ne pleut presque plus, mais le vent est si froid que j'ai l'impression de recevoir une paire de gifles sur les joues. Au moment où je rejoins la rue, je chasse les quelques gouttes qui me coulent dans les yeux. La voiture n'est pas très loin et, quand je m'en approche, je constate que Julien a repris sa place du côté passager. Quand je grimpe à bord du véhicule, il se compose une mine effarée et cela ne me dit rien qui vaille.

— Tu saignes ! s'exclame-t-il.

Il a raison. Je croyais chasser des gouttes de pluie de mes yeux, mais c'est du sang qui coule de mon front. Mes doigts sont tachés et le liquide chaud qui glisse sur ma tempe gauche me porte à croire que je saigne abondamment.

— Tu veux que je conduise ? propose Julien malgré son énervement.

Sans répondre, je fais démarrer la voiture. La route est étroite, mais je braque le volant et exécute un demi-tour qui s'apparente beaucoup plus à une cascade qu'à une manœuvre sécuritaire. Je jette un coup d'œil dans le rétroviseur ; je m'attends à trouver la femme enceinte étendue sur la banquette arrière, mais la place est vide. Je freine si brusquement que la tête de Julien est propulsée vers le tableau de bord.

— Tu es fou ! me jette-t-il furieusement au visage.

— Où est la fille ?

— Elle a refusé de me suivre, ronchonne-t-il en serrant les doigts autour de sa ceinture de sécurité.

— Parce que tu lui en as laissé le choix ?

— Elle était complètement désorientée. Et menaçante.

Dépité, j'enfonce l'accélérateur et nous quittons les abords du lac Delage.

***

Pendant que nous retournons vers les locaux du journal, après m'avoir fourré entre les mains quelques mouchoirs pour que j'éponge le sang qui coule de ma blessure, Julien m'explique ce qui s'est passé dans la maison de Mireille.

— La fille était inconsciente, mais, en la secouant un peu, j'ai réussi à la réveiller sans trop de mal, m'explique-t-il. Dès qu'elle a ouvert les yeux, elle s'est jetée sur moi en me rouant de coups. Je l'ai bien vite maîtrisée, mais elle s'est mise à crier. J'ai essayé de lui dire que je voulais lui venir en aide, qu'il fallait partir, qu'on lui avait fait boire quelque chose qui lui avait fait perdre connaissance, mais elle a continué à s'énerver. Je l'ai libérée, je me suis reculé et c'est là qu'elle a pris sa tête entre ses mains. Son teint a subitement viré au vert et elle s'est mise à vomir. Quand j'ai voulu revenir vers elle pour lui prêter main-forte, elle a craché dans ma direction avant d'éructer quelques mots dont je n'ai rien compris. Je lui ai répété qu'elle était en danger et que nous n'avions pas beaucoup de temps pour quitter les lieux, mais elle n'a rien voulu entendre. Elle a encore vomi, uniquement des filets de salive et de bile, et elle s'est levée en titubant. Je me suis défilé quand elle m'a menacé d'appeler la police. Avant de sortir du solarium, j'ai tenté une dernière fois de la convaincre et c'est là que j'ai compris qu'elle était totalement désorientée. Elle m'a regardé avec un drôle d'air et m'a demandé qui j'étais et où se trouvait sa tante. Elle est alors tombée à genoux, s'est mise à quatre pattes et s'est laissée choir sur le sol en se demandant où elle était.

— C'est terrible !

— De la laisser dans un tel état, ça me faisait l'impression d'être un salaud, mais je me suis dit que c'était peut-être mieux de profiter de sa confusion pour m'éclipser. J'espère qu'elle oubliera tout et qu'il ne lui arrivera rien de grave. Je n'aimerais pas avoir des ennuis avec la police.

Pour toute réponse, je dodeline de la tête. Cette histoire est parfaitement délirante, mais je ne doute pas que les derniers événements aient quelque chose à voir avec la disparition du petit Benjamin.

— J'ai trempé le bout de mon foulard dans le breuvage que Mireille a fait boire à sa nièce, m'annonce Julien en soulevant le bout de tissu visiblement humide. Il y en avait partout sur le sol.

— Tu es certain que ce n'est pas de la vomissure ?

— Ce que tu dis là est dégoûtant, mais, pour tout te dire, j'en suis persuadé, car j'ai épongé le liquide avant que la fille soit malade.

— Tu veux bien me donner ton foulard ? Je te le rendrai plus tard.

— Tu comptes le faire analyser ?

— Exactement.

— C'est ce que je voulais faire et je m'en occupe, affirme Julien avec une fierté non dissimulée. J'ai un ami qui travaille dans un laboratoire. On saura au moins ce que cette pauvre femme a ingurgité pour être dans un aussi piteux état.

Quand je suis perdu dans mes pensées, je ne suis pas très bavard. Julien doit donc me questionner sur ma filature pour que je lui raconte ce qui s'est passé dans la maison voisine. J'essaie de restituer pour lui les mots exacts de Mireille et surtout ceux de cette mystérieuse Ursula.

— Est-ce que tu as vu cette femme ?

— Non. Je n'ai pas osé m'approcher.

Il désigne l'entaille que j'ai au front.

— Comment t'es-tu fait ça ?

Il ne parvient pas à réprimer le fou rire nerveux que provoque chez lui le récit de ma sortie précipitée de la maison. Je n'ai pas envie de rire et son hilarité n'améliore pas mon humeur. Même s'il souhaite m'accompagner chez moi, je décide de le laisser au journal.

— Tu me tiens au courant, n'est-ce pas? dit-il en descendant du véhicule, un sourire moqueur aux lèvres.

— Seulement si tu me promets de ne rien dire.

Il lève la main droite comme s'il prêtait serment, referme la portière et se dirige vers l'entrée du journal de son inimitable démarche nonchalante.

10

Québec, 11 h 49

J'habite un quartier très touristique où il y a toujours des piétons sur les trottoirs. Par miracle, je réussis à garer ma voiture près de chez moi. Aussitôt descendu, je presse le pas jusqu'à la porte de l'immeuble. Plusieurs passants me regardent avec curiosité. Ils remarquent tous ma sale gueule et le sang séché qui macule mon visage.

J'entre chez moi et retire mon manteau ainsi que mon chandail, qui sont tous les deux tachés de sang. Je les chiffonne et me dirige vers la salle de bain pour nettoyer ma blessure. En traversant la cuisine, j'aperçois Troodie, assise devant la porte du placard. Habituellement, quand je rentre, elle vient toujours à ma rencontre en ronronnant, mais là elle semble pétrifiée sur place. Je lui caresse le sommet de la tête, mais elle ne bouge toujours pas.

— Ça va mieux, Troodie ?

Elle m'ignore complètement et garde ses gros yeux ronds rivés sur la porte du placard. Je repense alors au balai de sorcière que j'y ai rangé avant de partir ce matin, mais me dis qu'il est impossible que mon chat ait une aussi bonne mémoire. Comme elle a plutôt bonne mine, je ne me formalise pas et je la contourne pour me rendre à la salle de bain.

Ce que je vois dans le miroir n'est pas rassurant. On dirait qu'un carcajou m'a sauté au visage toutes griffes dehors ; pourtant, je ne dois mon allure de mauvais garçon qu'à une minuscule entaille au haut du front. Je me débarbouille prestement, applique un pansement sur la blessure et inspecte la prune violacée qui grossit à vue d'œil à la lisière de mes cheveux. Je ne déteste pas l'image de dur à cuire que me vaut ma mésaventure, mais je ne m'y attarde pas trop et passe par ma chambre pour enfiler un chandail propre.

Au salon, je m'installe dans la causeuse et pose mon ordinateur sur mes genoux. J'allume la télé et passe à la chaîne d'information. J'adresse ensuite un courriel à Marie-Frédérique pour savoir s'il y a du nouveau dans l'affaire de la disparition de Benjamin Leblanc. Elle me répond une minute plus tard que les fils de nouvelles sont restés muets sur le sujet, et ce, depuis plusieurs heures.

Dans l'espoir de produire un bon papier, je m'oblige à consigner les derniers événements. Je relate tout ce qui s'est passé, tout ce que j'ai appris, et j'ajoute même une description des gens avec qui Julien et moi avons été en contact. Quand je termine, je constate que je n'ai pas grand-chose qui puisse servir à écrire un article respectable. Tout ce qui me semble intéressant parmi la multitude de faits que je viens de noter est lié au fait que Julien et moi avons violé la loi en nous introduisant par effraction dans deux propriétés. Je ne peux donc pas publier quoi que ce soit sur le sujet. Le rédacteur en chef ne sera pas très fier de moi.

J'ouvre mon navigateur Internet et la page de Google apparaît. Je me souviens des paroles d'Ursula à propos d'une triade incomplète. Je ne connais pas bien le sens de ce mot et je le tape dans la boîte du moteur de recherche. Sur Wikipédia, j'apprends qu'une triade est un ensemble de trois personnes, de trois idées, de trois choses étroitement liées, de trois unités ou de trois divinités.

— Trois divinités ? dis-je tout haut.

Je continue à lire. L'article précise que la triade peut être, entre autres choses, un ensemble de trois divinités complémentaires. Après quelques clics de souris, je me retrouve sur la page consacrée à la notion de divinité. On y parle de toutes les grandes religions du monde, de différentes mythologies anciennes, mais aussi des courants religieux plus modernes comme le néopaganisme.

— C'est très intéressant, mais ça ne m'aide pas beaucoup.

À force de cliquer un peu partout, je m'y perds tout à fait. Excédé, j'éteins l'ordinateur et aussitôt les gargouillis de mon ventre deviennent mon unique souci. Mon réfrigérateur est vide et je dois me rabattre sur la boîte de céréales, de même que sur les quelques gouttes de lait au chocolat qu'il reste.

— Tu veux des céréales, Troodie ?

Depuis mon retour, la chatte n'a pas bougé d'un poil. Même le tintement de ma cuillère au fond de mon bol ne réussit pas à la distraire. Bien qu'elle soit gourmande et qu'elle aime par-dessus tout grignoter mes céréales, elle reste obstinément figée devant le placard.

Une fois mon gueuleton terminé, je dépose mon bol dans le fond de l'évier et décide d'ouvrir le fascinant placard. Troodie laisse échapper un long miaulement plaintif quand je pose la main sur la poignée. J'essaie de la chasser en sifflant et en la poussant du pied, mais elle s'entête à demeurer là. Bien qu'elle ne semble pas d'accord, j'ouvre la porte du placard. Troodie bouge enfin quand elle voit l'étrange branche d'épinette. Son poil se hérisse à mesure que son dos s'arrondit, mais elle ne feule pas. Le souffle me manque quand je constate que le balai de sorcière a bougé. Je me souviens précisément d'avoir posé ses rameaux sur le sol et appuyé son manche contre une tablette, mais je le retrouve à l'envers. Instinctivement, je recule de quelques pas. Dans mon appartement, l'atmosphère devient terriblement lourde. Une conclusion s'impose à mon esprit: quelqu'un est entré chez moi pendant mon absence.

Je réprime un frisson en jetant un regard autour de moi. Troodie feule puissamment avant de s'enfuir vers ma chambre. C'est à ce moment que le balai de sorcière vacille et tombe sur le sol. À mes pieds gisent ses rameaux rabougris.

11

Québec, 13 h 15

À genoux à côté de mon lit, j'essaie d'amadouer Troodie. Je l'appelle, j'essaie de tendre la main pour la gratter sous le menton, mais elle refuse de quitter sa cachette. En désespoir de cause, je secoue la boîte de ses gâteries, signal qui, d'ordinaire, la fait immédiatement apparaître. De plus en plus inquiet, j'en viens à soulever mon lit pour l'atteindre. Je l'agrippe par la peau du cou et l'oblige à glisser vers moi. Elle est visiblement irritée par mes manières, mais elle semble surtout effrayée. Je la prends dans mes bras, lui gratte les oreilles et lui chuchote des paroles rassurantes. Troodie doit ressentir ma propre nervosité, car elle ne se calme pas le moins du monde.

Mon chat dans les bras, j'entreprends de faire le tour de mon appartement. J'inspecte les fenêtres, leur verrou et leur cadre. Rien. La porte d'entrée, quant à elle, est en parfait état. La serrure n'est pas égratignée et je l'essaie pour m'assurer qu'elle fonctionne toujours aussi bien. Le battant est intact, le chambranle, impeccable. S'il y a eu effraction, j'ai affaire à un professionnel.

Troodie se pelotonne dans mes bras et enfonce son museau dans le creux de mon épaule. De ma main libre, j'attrape mon téléphone cellulaire et je visionne la photo que j'ai prise du balai de sorcière plus tôt ce matin. Je ne me trompe pas, quelqu'un a bel et bien inversé la sinistre branche d'épinette.

Je dépose Troodie sur la causeuse; elle proteste aussitôt en lâchant un minuscule miaulement suraigu. Je retourne vers le balai de sorcière et m'accroupis pour le toucher. La branche me paraît encore humide quand je glisse mes doigts sur son écorce rugueuse. Quelques-uns de ses rameaux se sont brisés quand elle est tombée. D'un geste beaucoup trop brusque, j'attrape le balai et le secoue pour en faire tomber les petites branches cassées. Une plume noire émerge de l'enchevêtrement de rameaux et flotte doucement jusqu'au sol. Subjugué, je la suis du regard en me demandant ce qu'elle peut bien faire là.

Soudain, un cri strident me fait sursauter et

je lance le balai de sorcière à l'autre bout de la cuisine. Apeurée, Troodie déguerpit comme une torpille. Quant à moi, je l'avoue, je suis au bord de la crise de nerfs.

La branche gît maintenant sur le sol, à la limite de la cuisine et du hall d'entrée. Le cri se répète à trois reprises. Je ne rêve pas, le son provient du balai. Il se transforme en un désagréable pépiement. J'attrape mon téléphone et mitraille l'objet en prenant une série de photos. Je m'en approche à pas lents, très lents. Un nouveau cri. Je fais appel à tout mon courage pour m'agenouiller auprès du balai. D'un geste précautionneux, j'écarte quelques rameaux. Un bec noir surgit alors de la brèche, prêt à m'arracher les ongles. Un faux mouvement de ma part brise quelques ramures. J'ai à peine le temps de m'écarter qu'une corneille s'évade de son improbable prison et s'envole dans mon appartement. L'oiseau croasse en battant rageusement des ailes. Il heurte les murs, les fenêtres, les lustres, mais rien ne l'arrête. Il revient vers moi et fonce tout droit sur mon visage. Mes bras battent l'air comme l'hélice d'un moulin à vent et la corneille bifurque au dernier moment pour se poser sur le sommet du réfrigérateur. Une seconde plus tard, le détestable volatile s'envole de nouveau en croassant furieusement.

Je cours dans tous les sens à la recherche d'un objet susceptible de m'aider à capturer l'oiseau, mais je ne déniche rien. Je ferme les portes des autres pièces avant d'ouvrir toutes grandes les fenêtres. L'air froid s'engouffre bien vite dans mon appartement, mais je n'en ai cure. Je commence alors à pourchasser l'oiseau et à émettre des cris bizarres dans le but de l'effrayer. J'essaie tant bien que mal de le pousser vers les fenêtres, mais il ne coopère pas du tout. Il va dans tous les sens en criant constamment.

Après plus d'une heure d'une chasse démentielle, la corneille se pose enfin sur le bord de la fenêtre. Je suis hors d'haleine, exaspéré et congelé. Mon appartement est sens dessus dessous et l'idée que cet oiseau sauvage s'est posé un peu partout sur mes affaires me dégoûte au plus haut point. Je prie pour que la corneille s'envole vers l'extérieur, mais elle ne bouge pas. Son œil noir est posé sur moi et, bizarrement, cela m'indispose plus que je ne veux bien l'admettre. Pendant plus d'une minute, elle reste là à me jauger du regard. Je sens une indicible colère monter en moi.

Les bras en croix, je m'élance vers elle en hurlant comme un damné. Je saute, je trépigne, je beugle. Je crois qu'un miracle se produit quand la corneille déploie ses ailes et disparaît à travers les toits de la ville. Je referme si violemment les fenêtres que le carreau de la deuxième se brise…

12

Québec, 14 h 52

C'est avec un bout de carton, du ruban adhésif et un sac à ordures que j'obture ma fenêtre brisée. Il me faut beaucoup de patience pour ramasser les milliers d'éclats de verre qui jonchent le plancher du salon.

— Comment cette foutue corneille a-t-elle bien pu se cacher dans cette maudite branche? Comment ai-je pu ne pas m'en apercevoir avant? Je suis un pauvre crétin, ça ne fait pas de doute!

Je peste et m'interroge, un chiffon dans une main, une solution désinfectante dans l'autre. Il m'a fallu près d'une heure pour remettre mon appartement en ordre et, maintenant, je nettoie. Encore heureux que Troodie soit beaucoup plus calme. Couchée sur le divan, elle affiche toutefois une expression de profonde lassitude.

— Tu le savais, toi, qu'il y avait un oiseau là-dedans, hein ?

Elle me répond par une espèce de roucoulement qui me fait sourire.

— Je devrais faire plus attention à ce que tu essaies de me dire, Troodie.

La chatte roule mollement sur le dos et ferme les yeux. Elle étire ses pattes blanches et me présente sans pudeur son petit troufignon.

— C'est ça, repose-toi ! Moi, je vais faire le ménage tout seul…

Je m'évertue à astiquer ma table de salon quand je perçois un nouveau croassement. Au moment de le ranger, j'ai inspecté le balai de sorcière et je suis certain qu'aucun autre oiseau ne s'y cache. Le cri recommence, mais il me semble lointain, étouffé. Malgré ma certitude, je me dirige vers le placard et colle mon oreille contre la porte. Un nouveau croassement me confirme que ça ne provient pas de l'intérieur de l'armoire.

— Sale oiseau, si tu es encore à ma fenêtre… dis-je, menaçant, en m'approchant de la lucarne du salon dont le verre est toujours intact.

Ce que je vois à l'extérieur me scie littéralement les jambes. Des dizaines de corneilles se sont posées sur le toit, aux abords de ma fenêtre. Elles sont là, l'œil tourné vers moi, et, quand elles m'aperçoivent, elles poussent en chœur des croassements infernaux.

***

Fatigué de crier et de gesticuler dans l'espoir de faire fuir les oiseaux, je capitule et m'assois à côté de Troodie. Les dix-huit dernières heures ont été éprouvantes pour elle et je ne m'étonne pas qu'elle reste confortablement installée sur la causeuse en dépit du chahut que font les corneilles. Ses oreilles se dressent tout de même au rythme des vagues de croassements.

Je consulte mes courriels et j'y apprends, par la plume de Marie-Frédérique, que le beau-père du petit Benjamin a reçu son congé de l'hôpital et qu'il est maintenant entre les mains de la police. Elle me suggère de me tenir prêt à toute éventualité, car on pourrait bien en apprendre plus au sujet de la disparition du garçonnet dans les confessions de Sébastien Simoneau. Je lui réponds qu'elle peut toujours me joindre sur mon portable, un prétexte qui me permet de lui donner une nouvelle fois mon numéro de téléphone. Je souhaite évidemment qu'elle s'en serve pour autre chose que le travail…

Convaincu que la piste de la triade divine ne m'a pas révélé tout ce que je pouvais en apprendre, je décide de me rendre à la bibliothèque de l'Université Laval. Je rechigne à abandonner mon chat alors que des dizaines d'oiseaux de malheur s'obstinent à squatter mon toit, mais je me raisonne en me répétant qu'il ne peut rien lui arriver. Le ciel est toujours noir et je choisis d'enfiler mon imperméable, dont la couleur est assortie à celle des nuages. Je chausse mes espadrilles, attrape mon téléphone et descends vers ma voiture.

En route vers l'université, je m'arrête dans une quincaillerie où je fais tailler un panneau de contreplaqué destiné à remplacer le savant bricolage qui, au salon, tient lieu de fenêtre. J'attrape au passage une boîte de clous et le nécessaire pour calfeutrer l'ouverture, car je doute fort que le propriétaire de l'immeuble répare le tout avant l'hiver. Cela fait, je me remets en route vers ma destination première.

J'aime la bibliothèque de l'université, son mobilier démodé, sa lumière fluorescente qui donne à tous les livres un aspect surnaturel, mais surtout le mélange des odeurs de vieux papier, de colle et de poussière qui y règne. Je m'y sens chez moi, car, dans un passé pas si lointain, j'y ai étudié de nombreuses heures.

Je vais sans hésiter vers les ascenseurs, car je sais que c'est au quatrième étage que se trouvent les bouquins consacrés à la religion, à l'ésotérisme et à la parapsychologie. Je m'engouffre dans l'ascenseur. Quand les portes s'ouvrent devant moi, je constate que l'étage est pratiquement désert, ce qui est plutôt rare. Je choisis au hasard un poste informatique et m'y installe pour entamer mes recherches.

C'est muni d'une longue liste d'ouvrages à consulter que je me dirige ensuite vers les rayons. J'ai beau avoir l'habitude d'y fouiller, je dois fureter parmi les volumes empilés sur plusieurs rayons avant de dénicher ceux que je cherche. Je prends ensuite place à une table de travail. J'y dépose mes affaires et commence à éplucher le livre qui traite des triangles divins.

La battue sur le mont Wright, la nuit blanche qui a suivi, la virée à Stoneham et mes mésaventures à Lac-Delage ont eu raison de ma résistance. Accoudé à la table, je somnole presque en tournant les pages. J'essaie de me concentrer, mais rien n'y fait. J'ai la sensation d'avoir les yeux dans le même trou et je bataille âprement contre l'envie irrésistible de poser ma tête sur le livre. Quelques minutes plus tard, je n'en peux tout simplement plus. Je dépose les armes aux pieds de Morphée et le laisse m'emporter dans son royaume brumeux.

Je suis happé par un rêve étrange et d'une incommensurable lenteur. Derrière mes paupières closes, des oiseaux ténébreux tourbillonnent au-dessus d'une forêt lugubre. Un épais brouillard surgit des entrailles de la forêt et dérobe à mon regard la cime des arbres. Je suis à mon tour emporté par le brouillard et le monde devient un océan laiteux habité par des formes fantomatiques. Je n'ai plus de repères, mais, poussé par je ne sais quelle impulsion, je continue à avancer. Les feuilles mortes et les brindilles craquent sous mes pieds et je sens que la terre qui se cache sous elles est boueuse. Sur ma gauche, je devine la forme d'un gros rocher. Ses contours flous évoquent ceux des dolmens de la vieille Europe.

Je ne sais plus si c'est ma tête qui tourne ou si le monde danse devant mes yeux. Les quelques troncs d'arbre que je distingue à travers la brume ressemblent à d'immuables sentinelles postées là pour protéger quelque chose. Malgré mon étourdissement, je continue à avancer et dépasse le rocher. Derrière lui, je vois que les flammes d'un feu de camp lèchent une marmite noire de bonne dimension. La fumée grise qui s'en échappe se confond avec le brouillard, mais je sens maintenant son odeur douceâtre.

Une forme noire encapuchonnée s'approche du chaudron et jette à l'intérieur ce qui me semble être des feuilles. Une petite voix dans mon esprit me conjure de me cacher, mais je reste là à l'observer. La sombre silhouette se penche pour prendre un bol de pierre et déverse le liquide qu'il contient dans le chaudron. Après l'avoir déposé, elle attrape une longue branche et brasse son étrange mixture. La forme tourne la tête vers moi, mais je n'arrive pas à voir son visage. Elle cesse son mouvement presque aussitôt.

— Bienvenue dans la forêt ancienne, susurre-t-elle sur un ton suave.

Sa voix est basse, teintée d'un accent britannique, mais résolument féminine.

— Peu de gens s'aventurent jusqu'ici! continue-t-elle. Quel bon vent t'amène?

Je plisse les yeux dans l'espoir de voir les traits de son visage, mais c'est peine perdue. Le brouillard est toujours beaucoup trop dense.

— Je suis à la recherche d'un petit garçon prénommé Benjamin, dis-je d'une voix blanche.

— Cet endroit est très dangereux, mon ami. Aucun enfant ne viendrait se promener tout seul dans une aussi vieille forêt.

— Il est venu avec son beau-père.

— C'est étrange, répond la femme. Je n'ai vu personne dans les parages et je n'ai rien entendu.

Elle toussote et recommence à remuer le contenu de son chaudron.

— Rappelle-moi ton nom, jeune homme, me demande-t-elle.

— Je ne vous en ai pas encore informée. Je m'appelle Félix.

Bien que je n'aie rien dit d'amusant, elle se met à ricaner.

— Oui, je me souviens. On m'a parlé de toi. Approche, Félix !

Sans réfléchir, je fais quelques pas vers elle. Soudain, elle lève la main pour me signifier de ne pas m'avancer davantage. Surpris, je me fige sur place.

— J'habite cette forêt depuis quelque temps, me confie-t-elle. Je la connais mieux que quiconque et je sais à quel point il est facile de s'y perdre. Sauras-tu retrouver ton chemin jusque chez toi ?

Les propos de la femme m'angoissent. Je ne me rappelle même pas comment je suis parvenu jusque-là. Je plonge la main dans ma poche et y retrouve mon précieux téléphone. Quand j'essaie de l'allumer, rien ne se produit. Je comprends que sa pile est à plat et cela m'enrage. Dans un accès de colère, je lance l'appareil contre le rocher. Je regrette mon geste quand je l'entends exploser en mille morceaux. La femme en noir éclate alors d'un rire sombre.

— Cet objet ne pouvait pas t'aider de toute façon, affirme-t-elle d'un ton moqueur.

Le vent se lève et je commence à grelotter. Je constate que je ne porte qu'un jeans et un chandail de laine, sans le moindre manteau. J'ai envie de m'approcher du feu, mais je n'ose pas. Une question me vient en tête.

— Vous, qui êtes-vous ?

— Cela a-t-il la moindre importance ? questionne la femme en extirpant son bâton de la marmite.

— Je vous ai bien dit mon nom, moi !

— Alors, soit ! Je m'appelle Ursula.

Je suis en présence de la femme qui se cache dans la maison voisine de celle de Mireille. Comment se peut-il que je la retrouve ici ? Mon esprit tourne à toute vitesse, mais je ne comprends rien à ce qui m'arrive.

— Tu te souviens de moi, n'est-ce pas ? souffle-t-elle.

Je hoche la tête, même si je doute que la femme puisse percevoir mon mouvement à travers le brouillard.

— As-tu peur ? me demande Ursula en se détournant du feu.

Je préfère lui mentir.

— Non. Est-ce que je devrais ?

Ursula laisse échapper un nouveau ricanement. Son rire ressemble presque au croassement d'une corneille.

— Tu ne risques rien, Félix. Il ne peut rien

t'arriver, puisque nous nous rencontrons dans le monde des songes. Et ce n'est pas la première fois…

Les paroles d'Ursula me rassurent un peu. Même si tout autour de moi me paraît plus vrai que nature, je me trouve au beau milieu d'un rêve.

— Si tu es ici, c'est que j'ai voulu te mettre en garde, mon ami, continue la femme.

— Qu'est-ce que ça veut dire?

— Je t'ai offert mon aide et tu n'en as pas voulu, Félix. Tu n'as pas souffert suffisamment pour avoir besoin de moi, mais tu n'es pas obligé d'être contre moi pour autant.

Elle toussote et crache par terre. Son regard jaune revient sur moi.

— Ce qui se passe dans la forêt ancienne ne te concerne pas! glapit-elle avec force. Oublie ce que tu as vu, oublie tout ce que tu sais!

— Tout ce que je veux, c'est retrouver l'enfant!

La femme se met à bouger nerveusement. Je vois sa sombre silhouette qui gravite autour de la marmite fumante.

— L'enfant est à moi! persifle-t-elle. On m'en a fait cadeau. Jamais tu ne le retrouveras!

— On ne fait pas cadeau d'un enfant! Ce que vous dites est immonde!

Ursula fond sur moi comme le ferait un

oiseau de proie. Sa cape noire flotte tout autour d'elle et ses mains griffues comme des ergots émergent de ses amples manches. J'aperçois son visage hideux pour la première fois et cette vision d'horreur me glace le sang.

Les yeux d'Ursula ne sont que deux fentes entourées de paupières lourdes et fripées. Ses iris sont d'un jaune mordoré et ses pupilles largement dilatées. Elle a un front haut, un menton affreusement proéminent, un nez informe et tombant. Les cheveux qui s'échappent de son large capuchon sont blancs comme la neige et ressemblent à des filaments de soie d'araignée. Son teint est aussi gris que la fumée qui se dégage du feu de camp et la peau de son cou est burinée par de nombreuses rides. Sa lèvre supérieure, très fine, ne parvient pas à cacher son sourire édenté. Sa bouche affaissée, sa langue brunâtre et les poils rêches qui constellent ses joues fanées terminent cet effroyable portrait.

Les mains noueuses d'Ursula s'abattent de chaque côté de ma tête. Elles m'enserrent douloureusement et je sens les ongles acérés s'enfoncer dans la chair de mon crâne. Elle approche son visage tout près du mien et me souffle au visage son haleine fétide.

— Je suis prophétesse et je sais que mes mains précipiteront ta fin ! tonne-t-elle. Quand la lune disparaîtra du ciel, je lèverai le voile qui sépare ce monde des ténèbres et je noierai ton âme dans les arcanes de la nuit !

Elle me libère et lève brusquement les bras vers la cime des arbres. Le brouillard s'épaissit subitement, la silhouette noire d'Ursula disparaît et bientôt je ne vois plus qu'une myriade de papillons de nuit qui virevoltent dans le ciel.

13

Bibliothèque de l'Université Laval, 18 h 11

Je me réveille en sursaut et me redresse précipitamment. Un filet de salive sur le menton, la nuque endolorie et le front couvert de sueur, je regarde autour de moi comme un animal qui se sait menacé par un prédateur. Mon cœur bat la chamade, j'ai la tête qui tourne et je me rends compte que j'ai l'estomac dans les talons. Je me lève et ramasse maladroitement mes affaires. Une voix surgit derrière moi pendant que je repousse ma chaise à sa place. Surpris, j'émets un cri pitoyable et laisse choir tous les livres que je voulais emporter.

— Je ne voulais pas vous effrayer ! s'excuse une femme casquée d'une flamboyante tignasse rousse.

Je me jette au sol comme un pauvre sot et rassemble les livres à la hâte. Quand je me relève, la rouquine est toujours là. Elle me regarde avec une sévérité qui me met mal à l'aise. Bouleversé par le rêve dont j'émerge et surtout par mon réveil brutal, je la gratifie d'une œillade assassine et fais mine de m'en aller.

— Je ressens de très mauvaises vibrations autour de vous, m'annonce-t-elle dans le but évident de me retenir.

C'est à ce moment précis que je décrète dans mon for intérieur que cette journée est vraiment merdique. On jurerait que je suis condamné à croiser la route de tous les hurluberlus de la planète. Excédé, je me retourne vers la femme en soupirant bruyamment.

— Dure journée, n'est-ce pas? s'acharne-t-elle.

— Terrible. Aussi, vous ne m'en voudrez pas d'avoir envie de rentrer chez moi sur-le-champ!

— Permettez-moi de me présenter. Je me nomme Violette. Et sachez que vous courez un grand danger, monsieur.

— Vous avez raison, Violette! Je risque de perdre les pédales si je ne suis pas caché sous les couvertures de mon lit dans les trente prochaines minutes.

L'air dépité qu'affiche maintenant la femme aux cheveux de feu me fait presque regretter de lui avoir répondu avec aussi peu de courtoisie, mais je chasse bien vite ces nobles sentiments pour foncer directement vers les ascenseurs.

***

Torturé par mille et une appréhensions, avec cinq bouquins et le fruit de mes emplettes à la quincaillerie sur les bras, je franchis le seuil de mon appartement. Je crains de découvrir le balai de sorcière dans une position insolite. J'ai peur que les corneilles aient investi ma chambre, mais surtout que Troodie ait d'étranges comportements. Le cliquetis de la serrure attire la chatte dans l'entrée et c'est fidèle à son habitude qu'elle se frotte contre mes jambes en ronronnant. Dans l'air flotte toujours l'odeur du désinfectant dont j'ai aspergé mon logis en entier à la suite de l'irruption de l'oiseau de malheur. Le vent, qui souffle inlassablement depuis le matin, fait vibrer le carton avec lequel j'ai obturé ma fenêtre cassée, mais la fragile construction semble tenir le coup. Soulagé, je dépose mes livres sur le comptoir de la cuisine et pousse un nouveau soupir.

Parce que je suis troublé par le rêve que j'ai fait à la bibliothèque, mais surtout parce que je refuse de sortir mes chaudrons un dimanche soir, je décide de commander une pizza. Le restaurant est tout près, le prix est raisonnable et j'ai besoin de me remplir le ventre de graisse pour me réconforter. En attendant la livraison, je décapsule une bouteille de bière hollandaise qui réussit toujours à me détendre.

Je m'installe au salon, Troodie me rejoint et j'attrape mon ordinateur pour consulter mes courriels. Je suis surpris de constater que je n'ai même pas reçu un message indésirable depuis mon départ pour la bibliothèque. Je décide donc d'allumer la télévision et me mets à zapper. Une chaîne populaire diffuse *Le parc jurassique* et, comme je n'ai pas envie de réfléchir, je choisis de m'abrutir en me remplissant les oreilles de rugissements préhistoriques.

Quarante minutes, une moitié de pizza garnie et trois bières plus tard, je me liquéfie littéralement devant l'écran. Je suis à ce point vidé de toute substance que je ne me rends pas compte qu'on tente de communiquer avec moi. C'est après la quatrième sonnerie que j'attrape enfin mon téléphone.

— Allo ?

— C'est Julien. Comment ça va ?

— Pas trop mal. Et toi ?

— Je suis encore au journal.

— Tu en as encore pour longtemps ?

— Je m'apprête à partir. Tu as déjà mangé ?

Cette question apparemment désintéressée est la manière la plus subtile qu'a trouvée Julien pour s'inviter chez moi. Je lui offre d'emblée la moitié de pizza que je viens de ranger dans le réfrigérateur, mais, comme je suis à sec côté alcool, je lui suggère de prendre quelque chose à boire.

Julien et sa caisse de bières rappliquent en moins de dix minutes. Je lui trouve de petits yeux et un air hébété. Il est manifeste que sa longue journée de travail ne lui a pas plu.

— J'ai faim, grommelle-t-il en me tendant une bouteille de bière.

Au micro-ondes, je réchauffe à son intention le reste de pizza et nous passons au salon. Les grognements et borborygmes des dinosaures accompagnent son huileux gueuleton.

— Du nouveau du côté du mont Wright? demande-t-il, tout en mastiquant un morceau de pepperoni particulièrement récalcitrant.

— Rien, dis-je en secouant mollement la tête.

Le regard de Julien passe de mon visage à la fenêtre brisée. Des points d'interrogation apparaissent instantanément dans ses grands yeux noisette.

— Mauvaise journée. Tu veux que je te raconte?

J'ai suffisamment confiance en Julien pour tout lui dire. Je relate l'histoire de la branche d'épinette, ensuite celle de la corneille, et j'ose même lui raconter le rêve que j'ai fait quand je me suis endormi à la bibliothèque. À mesure que je lui fais part de mes incroyables tribulations, son faciès grave se métamorphose en un masque amusé.

— Il se passe des choses étranges, Julien. Et c'est sans compter cette femme aux cheveux roux qui m'aborde pour me dire que je suis en proie à de mauvaises énergies !

— Si tu veux mon avis, Félix, je pense que c'est du délire, affirme Julien en déposant son assiette vide sur le sol. Tu ferais mieux d'oublier tout ça et de demander au rédacteur en chef de te confier une autre histoire.

— Et la femme enceinte qui t'a presque vomi dessus ? Et la voix sépulcrale qui s'adressait à Mireille dans la maison vacante ?

— Tu es tellement impressionnable que tu fais maintenant des cauchemars à propos de cette sacrée Ursula. N'est-ce pas que j'ai raison, Troodie ?

Julien caresse la tête de la chatte pendant qu'elle lèche les quelques traces de sauce tomate qui subsistent dans son assiette. Il confond les yeux conquis qu'elle roule ensuite vers lui avec l'assentiment qu'il recherche auprès d'elle.

— Es-tu en train de dire que je suis crédule ?

— Je dis seulement que tu as besoin d'une bonne nuit de sommeil.

— Tu as peut-être raison, mais, avec ce maudit vent, je ne fermerai pas l'œil de la nuit.

— Si je réparais ta fenêtre ? propose Julien. Tu as tout ce qu'il faut, il me semble ! D'ailleurs, je sais comment tu manœuvres le marteau. Il est donc préférable pour l'intégrité de tes doigts que ce soit moi qui m'en charge...

14

Québec, 3 h 03

Je dors comme un loir. Et le téléphone sonne.

Je ne peux m'empêcher d'être gagné par l'angoisse chaque fois qu'on appelle chez moi à une heure pareille. Bien que je sois confortablement blotti dans mes couvertures, j'étire le bras et attrape mon iPhone luminescent. L'écran de l'appareil m'apprend l'identité de l'appelant, mais aussi qu'il est à peine trois heures du matin.

— Monsieur Saint-Clair, c'est Rebecca au *Télégraphe de Québec.*

— Qu'est-ce qui se passe, Rebecca ?

— Vous devez vous rendre à Stoneham immédiatement. Une vieille dame est tombée du quatrième étage d'une résidence pour personnes âgées.

— On connaît son identité ?

— Non. Tout ce que je peux vous dire, c'est que les policiers sont actuellement sur place. Vous devriez faire vite.

L'employée du journal me donne l'adresse de la résidence en question et raccroche sans même me saluer. J'allume la lumière sur ma table de chevet et bondis hors du lit. J'enfile un jeans en vitesse, passe une camisole et un chandail de coton ouaté muni d'un capuchon et enfonce une casquette sur mes cheveux en bataille. Mon téléphone bien en main, je m'apprête à quitter ma chambre quand je me rends compte que Troodie n'est pas couchée au pied de mon lit. Intrigué par son absence et malgré l'urgence du moment, je décide de faire un rapide tour du propriétaire à la recherche de ma précieuse compagne.

Je retrouve Troodie dans la pièce qui me sert de rangement. Elle gît sur le côté dans le duveteux lit pour chat que j'ai acheté pour elle. L'une de ses pattes postérieures est appuyée contre le réservoir d'eau chaude qui se trouve également dans cette pièce. Alarmé par sa position incongrue, j'ouvre la lumière en tirant sur la chaînette qui descend du plafond. Troodie a les yeux fermés. Sa fourrure habituellement soyeuse est hirsute et envahie de nœuds. Par sa gueule entrouverte, j'aperçois sa petite langue rose. Je m'agenouille à ses côtés, mais je n'ose pas la toucher. J'ai peur que son corps soit froid.

— Troodie? dis-je en secouant son lit.

La chatte ne cille pas.

— Mais qu'est-ce que c'est que ça?

Une longue trace de sang souille le mur sous l'étroite fenêtre de la pièce. Catastrophé, je plonge la main dans la fourrure de Troodie. J'émets une exclamation soulagée quand son œil s'entrouvre et que sa pupille s'agrandit.

— Troodie, mais qu'est-ce qui t'est arrivé?

Le pauvre animal me fait partager sa misère en émettant un miaulement faiblard. Au comble de l'inquiétude, j'inspecte sommairement son petit corps et découvre en quelques endroits à travers son poil des traces de sang séché. Je glisse mes mains sous elle dans l'espoir de la prendre dans mes bras, mais le gémissement qu'elle pousse m'en dissuade rapidement.

— Je ne comprends pas, Troodie! dis-je en prenant ma tête entre mes mains. Comment peux-tu être dans un état pareil? On dirait que tu t'es battue avec un chat de gouttière!

Elle ferme les yeux et enfouit son museau dans les replis de son lit. Je lui caresse le dessus de la tête, mais elle ne réagit pas. Pas le moindre ronron.

— Je voudrais rester avec toi, mais je dois y aller!

Je dépose un baiser tout près de son oreille et, troublé, me précipite vers la sortie.

***

La résidence pour personnes âgées est située sur le boulevard Talbot. Je gare ma voiture légèrement en retrait du lieu du drame et me hâte vers l'endroit. Je suis étonné de constater que, malgré l'heure tardive, une foule composée d'une vingtaine de personnes est agglutinée autour de deux voitures de police. La lumière des gyrophares confère à l'endroit une atmosphère survoltée digne des meilleures séries télévisées. Je choisis de jouer les innocents et de me mêler aux badauds. Je m'arrête près d'un tout jeune homme qui semble à peine sorti de l'adolescence.

— Qu'est-ce qui s'est passé ?

— Une vieille folle s'est jetée par la fenêtre, répond-il sur un ton désabusé.

— Est-ce qu'elle est morte ?

— C'est sûr ! Son corps était en compote. Ils l'ont ramassé à la petite cuillère.

Le jeune homme me semble diablement bien informé. Je décide de m'enraciner à côté de lui.

— Tu as tout vu ?

Le jeune homme baisse les yeux vers le sol

et se met à piétiner. Il paraît subitement mal à l'aise.

— Je passais par là quand j'ai entendu un fracas épouvantable, confesse-t-il en osant un regard oblique vers moi. Je rentrais chez moi. J'ai passé la soirée chez un ami.

C'est sans doute un réflexe d'adolescent pas tout à fait affranchi du joug de ses parents qui le pousse à expliquer les raisons de son errance nocturne. Ce qu'il faisait avant de voir la vieille dame se défenestrer m'importe peu et je choisis donc d'ignorer ses justifications.

— Qu'est-ce que tu as vu?

— J'avais déjà dépassé la résidence quand elle est tombée, affirme-t-il. J'ai d'abord entendu le bruit d'une vitre qui se brise et un cri déchirant. Je me suis retourné et j'ai vu la vieille qui faisait un vol plané. Ce que je trouve bizarre, c'est qu'elle soit tombée sur le dos.

— Qu'est-ce que tu veux dire?

— Je veux dire que, pour passer à travers une fenêtre, il faut se jeter dedans en courant. J'imagine mal une grand-mère en train de faire une pirouette alors qu'elle essaie de mettre fin à ses jours.

Je dois avouer que le garçon possède un solide sens de l'observation.

— Tu crois qu'on l'a poussée?

— Je ne sais pas, mais, en tout cas, c'est vraiment bizarre. Si tu l'avais vue tomber ! Ses jambes et ses bras allaient dans tous les sens.

— Comme une poupée de chiffon…

— Peut-être bien. Je n'ai jamais vu une poupée tomber d'un quatrième étage.

La froide logique du jeune homme me laisse pantois. J'aperçois alors un policier qui sort de la résidence pour personnes âgées et qui se dirige vers sa voiture. Je me précipite vers lui et annonce aussitôt mes couleurs.

— Félix Saint-Clair du *Télégraphe de Québec* !

L'homme se retourne lentement vers moi. Il arbore des sourcils broussailleux. Ses lunettes d'un autre âge paraissent poisseuses et les sécrétions séchées qui décorent le coin de ses yeux m'informent que les derniers événements ont interrompu sa nuit de sommeil.

— Tiens donc ! Un journaliste, s'exclame-t-il.

Il me détaille des pieds à la tête d'un œil circonspect. Il s'autorise même un rire suffisant.

— J'aimerais vous poser quelques questions sur le drame qui vient de survenir, dis-je le plus posément possible.

— Je peux voir ta carte de presse ?

Je plonge les mains dans les poches de mon jeans, puis dans celles de mon manteau, sans trouver ladite carte. Je tapote nerveusement ma poitrine et fouille à l'intérieur de ma veste, sans succès. Le policier recommence à me rire au nez.

— Bien essayé, mais je ne suis pas né de la dernière pluie, aboie-t-il avec une pointe de prétention dans la voix. Allez ! Disparais !

— Je suis bel et bien journ…

— Va-t'en, j'ai dit !

Je me détourne juste à temps pour voir Michel, l'homme aux cheveux gris avec qui je me suis entretenu le matin même au *McDonald's*, quitter la résidence d'un pas rapide. Son visage fermé, ses mâchoires crispées et le mouchoir qu'il triture machinalement me portent à croire qu'il est en proie à de vives émotions. Au même instant, un 4 x 4 gris s'immobilise de l'autre côté de la rue. Michel rejoint le véhicule au pas de course et monte à bord. Je ne vois pas qui est au volant, mais je jurerais qu'il s'agit de Mireille.

15

Stoneham, 4 h

Ma surprise est complète quand je vois Bernadette, la femme qui griffonnait sur la serviette de table, sortir à son tour d'un pas chancelant de la résidence pour personnes âgées. Puisque le policier refuse de m'adresser la parole sous prétexte que je n'ai pas pu lui présenter ma carte de presse, je me dirige vers elle d'un pas décidé.

C'est une femme d'environ cinquante ans, légèrement rondouillarde, casquée de cheveux bruns frisés et coupés à la garçonne. Je soupçonne le pantalon rose à fines rayures qu'elle porte sous son long manteau gris d'être un pyjama. Elle a les yeux écarquillés, sa bouche est entrouverte et elle avance à petits pas saccadés. Même si je crains qu'elle fasse une attaque en me voyant surgir de nulle part, je m'élance et me plante droit devant elle. Elle ne sursaute pas, mais le regard effarouché qu'elle pose sur moi en dit long sur son état d'esprit.

— Nous nous sommes vus ce matin, dis-je en lui tendant une main qu'elle ignore.

— Où ça? questionne-t-elle en plaçant ses mains devant son corps replet comme si elle se préparait à me repousser.

— *McDonald's.*

Une étincelle éclaire soudain ses prunelles.

— Vous êtes l'homme qui embêtait Michel.

— On peut dire ça.

— Qu'est-ce que vous voulez? C'est vrai que vous êtes journaliste?

J'opine du bonnet. Naturellement méfiante, elle essaie de me contourner pour continuer son chemin, mais je m'interpose. Mon insistance semble lui déplaire au plus haut point. Elle pince les lèvres et se braque comme un fauve qui s'apprêterait à attaquer. Une idée saugrenue me traverse l'esprit et, comme je ne sais pas quoi dire d'autre, je tente ma chance.

— Ce n'est pas pour écrire un article que je souhaite vous parler.

— Alors, pourquoi?

— Je dois voir Ursula. C'est urgent.

Dès que je prononce ce prénom, Bernadette enfonce la tête dans les épaules et jette un coup d'œil aux alentours. Lorsqu'elle est sûre que personne ne nous écoute, elle fait un pas vers moi et se met à chuchoter.

— Qu'avez-vous fait, pauvre fou! me souffle-t-elle au visage.

La conversation que j'ai épiée dans la maison de Lac-Delage me permet de poursuivre sur cette lancée.

— Il faut que je lui parle, mais elle n'est plus dans la forêt ancienne…

— Je sais tout ça!

Elle marmotte; ses paupières battent à une vitesse ahurissante et elle commence à renifler comme si l'influenza venait à l'instant de s'attaquer à ses muqueuses.

— Oubliez tout! me suggère-t-elle en tentant une nouvelle fois de s'esquiver. Reprenez votre vie là où vous l'avez laissée. Elle n'a pas le droit de nous demander des choses pareilles. C'est de sa faute si Sébastien Simoneau a perdu l'esprit!

Elle trottine vers une voiture de luxe stationnée dans la rue. Je refuse de m'avouer vaincu et marche dans son ombre.

— Cessez de me suivre! gronde-t-elle entre ses dents serrées. Ces gens vont nous voir.

Je m'immobilise, mais la laisse à peine s'éloigner avant de supplier avec beaucoup trop d'emphase:

— Aidez-moi ! Je vous en prie ! Je ne sais plus quoi faire !

Ses clés à la main, Bernadette se tourne vers moi. Elle me jauge du regard et commence à se gratter la tête. Ses bouclettes oscillent dans tous les sens comme les antennes d'un drôle d'insecte. L'air piteux que je me donne doit être crédible, car elle soupire en secouant la tête de dépit.

— J'assisterai à la messe de huit heures à la cathédrale Notre-Dame de Québec, m'informe-t-elle avant de monter dans sa voiture.

***

Après le départ de Bernadette, je me rapproche des quelques irréductibles commères qui continuent à bavarder, malgré le froid et l'heure plus que tardive, devant la résidence pour personnes âgées. L'adolescent n'est plus là, d'autres curieux sont partis se coucher, mais les policiers s'affairent toujours autour de la scène du drame et j'aperçois même un caméraman d'une grande station de télévision qui capture quelques images.

La nuit est très froide, l'humidité me prend aux os et un vent faible, mais constant s'infiltre sous mes vêtements. J'essaie tant bien que mal de m'intégrer aux conversations des derniers citoyens qui refusent de rentrer chez eux, mais mes tentatives se soldent toutes par des échecs. Je piétine pour me réchauffer en continuant à tendre l'oreille. Bien que nul ne m'adresse la parole, j'apprends tout de même quelques détails fort intéressants.

— Michel doit être bouleversé ! Sa pauvre mère qui met fin à ses jours ! Ce doit être terrible, couine une femme squelettique aux cheveux décolorés.

— C'est terrible, tu as raison, rétorque une autre, beaucoup plus en chair. D'autant plus qu'il paraît que les choses vont mal pour Michel.

— Ah oui ?

— Ruiné ! affirme la femme aux joues rondes. On m'a dit que la banque allait saisir tous ses avoirs dans les prochains jours. Imagine un peu ! Il va perdre jusqu'à sa maison.

— Il ne va quand même pas se retrouver à la rue ? s'indigne la maigrichonne.

— C'est ce qu'on m'a dit !

Je note toutes les informations que je capte sur mon téléphone en faisant mine d'envoyer un texto quand un homme à la barbe grise s'insinue dans la conversation des deux femmes. Il porte un chapeau rouge plutôt informe ainsi qu'un manteau militaire et il tient une pipe fumante dans sa main gauche.

— Les malheurs s'accumulent par ici, regrette-t-il en exhalant un énorme nuage de fumée. Après la disparition de Benjamin Leblanc, c'est Marie-Claire Ferron qui se jette en bas d'un édifice. Et vous avez vu tous ces oiseaux?

L'homme pointe son index vers le toit du bâtiment devant lequel nous nous trouvons. Je plisse les yeux pour constater qu'il dit vrai. Des dizaines de corneilles silencieuses s'y sont posées, comme elles l'ont fait précédemment chez moi. Je n'arrive pas à réprimer le frisson que provoque chez moi la vision de ces maudits oiseaux.

— C'est un mauvais présage, enchaîne le barbu.

— Je ne vois pas ce qui pourrait arriver de pire que le suicide de cette vieille dame.

L'homme replace son bonnet rouge et vide le contenu incandescent de sa pipe sur le pavé de la rue. Des étincelles volettent dans la nuit comme un essaim de lucioles.

— Ceux qui ont la chance de mourir n'ont plus à souffrir. C'est pour les autres qu'il faut s'inquiéter, surtout ceux qui espèrent.

16

Québec, 5 h 11

Je rentre chez moi à l'aurore et, bien que je meure d'envie de retrouver le confort discutable de mes draps chiffonnés, je me rends tout de suite au chevet de Troodie. La chatte est toujours lovée au creux de son lit et elle daigne à peine ouvrir un œil quand je m'accroupis auprès d'elle. Il s'est manifestement passé quelque chose. Je tente désespérément de trouver une explication logique à son état, mais je me refuse à formuler tout haut ce qui s'impose à mon esprit.

Je dois retrouver Bernadette à la cathédrale de Québec dans quelques heures. Si je me mets au lit, il y a de fortes chances pour que l'alarme de mon réveille-matin ne parvienne pas à m'arracher au sommeil. Je passe donc par le salon pour récupérer mon ordinateur; à la cuisine, je me verse un grand verre de jus d'orange et c'est ainsi armé que je retourne auprès de Troodie. Je laisse mon dos glisser le long du mur et m'installe sur le sol, tout près de ma chatte et du réservoir d'eau chaude, dans l'espoir que le temps qui me sépare de mon rendez-vous œcuménique me suffira pour produire un entrefilet digne de ce nom.

Mes récentes mésaventures et ma dernière nuit dramatiquement écourtée ne freinent en rien mon inspiration. Les mots s'alignent sans difficulté sur l'écran de mon ordinateur et je réussis à écrire un papier intéressant qui englobe tous les événements survenus ces derniers jours dans les environs de Stoneham. Évidemment, pour ma propre sécurité, je dois taire tout ce qui concerne notre virée à Lac-Delage, à Julien et à moi.

Deux heures plus tard, les premiers rayons du soleil filtrent au-dessus de ma tête par l'étroite fenêtre. J'expédie mon texte au rédacteur en chef sans même le relire. Satisfait de mon travail, je bâille et m'étire, mais l'exiguïté de la pièce ne me permet pas de bien amples mouvements. Troodie n'a pas bougé et elle ne ronronne pas quand je glisse mes doigts à travers sa fourrure noir et blanc. Je me promets de l'emmener chez le vétérinaire dès ce soir si elle ne démontre pas plus d'énergie à mon retour du bureau. Je me lève et défroisse mes vêtements d'un geste négligent. C'est sans retirer ma casquette ni même passer devant un miroir que je me mets en route vers l'église où Bernadette m'a donné rendez-vous.

C'est une chance que la cathédrale Notre-Dame de Québec ne soit qu'à dix minutes de marche de chez moi. Après avoir attrapé un café à la brûlerie du coin, je marche sur la rue Saint-Jean en direction du sommet du cap Diamant. Après la nuit que je viens de passer, je me moque bien d'arriver en retard au travail, mais je prends tout de même la peine d'envoyer un court texto à Julien pour l'en informer. Je compte sur lui pour passer le mot à mon patron. Il me répond aussitôt: *C'est noté. J'ai du nouveau au sujet du foulard…*

Je sais d'ores et déjà que mes tentatives pour en savoir plus seront inutiles et c'est pourquoi je fourre mon téléphone dans la poche de mon manteau. Après m'être accordé une lampée de café brûlant, je reprends ma route en me répétant que Julien n'a vraiment pas perdu de temps. Pendant tout le trajet, je me demande mille et une fois quelle drogue Mireille a bien pu mettre dans le verre de sa nièce.

Je m'arrête sur le trottoir pour contempler la cathédrale et les alentours. Le bâtiment est magnifique, la ville est radieuse dans le petit matin et il n'y a presque personne dans les rues. Je laisse mon regard errer dans l'espoir de repérer Bernadette, mais je ne la vois nulle part. En regardant ma montre, je constate qu'il est presque huit heures. Je pénètre sans plus attendre dans la cathédrale. Je me sens tout petit quand je franchis le seuil de la grande porte centrale.

Je n'ai guère le loisir de me laisser transporter par la majesté des lieux, car Bernadette, assise dans le dernier banc, me remarque aussitôt et m'adresse un salut discret. La quiétude des lieux, sa très douce lumière et l'odeur d'encens qui flotte dans l'air agissent bien mieux sur mes nerfs que n'importe quel cachet de Valium. Quand je m'assois aux côtés de Bernadette, je me sens si paisible que j'en ai presque sommeil. Une question me titille néanmoins l'esprit.

— Que faisiez-vous à la résidence pour personnes âgées, la nuit dernière?

— Ma grand-tante Béatrice partageait la chambre de Marie-Claire Ferron. Vous imaginez bien qu'elle était sous le choc. J'ai dû me rendre auprès d'elle pour la calmer.

— Vous devez être secouée, vous aussi.

— C'est le seul endroit où je me sens bien, me confie Bernadette en embrassant la nef du regard.

— Je comprends, mais ce n'est sans doute pas le meilleur endroit pour discuter.

— On parlera après la messe !

Mon air stupéfait déplaît à Bernadette qui fronce les sourcils en comprenant que je n'avais pas l'intention d'assister à l'office.

— C'est à prendre ou à laisser, monsieur !

— Appelez-moi Félix, dis-je, la mine sombre.

Bernadette m'attrape par le bras et m'entraîne à sa suite vers les premiers bancs de l'église. Nous nous y glissons et elle sort un chapelet de son sac à main. Le prêtre apparaît devant nous et s'avance vers l'autel. Il porte une chasuble blanche et une étole mauve. Le sommet de son crâne dégarni est lustré. Il s'approche d'un lutrin sur lequel repose un grand livre aux feuilles minces. Ses lèvres se collent au micro et ses paroles résonnent dans le temple. J'ai du mal à admettre que sa voix basse et chaude, ses paroles lénifiantes et ses mouvements lents me font du bien.

L'office dure presque cinquante minutes. Comme tous les autres dévots, mais surtout pour ne pas déplaire à Bernadette, je me lève et m'agenouille au gré de la volonté du prêtre. La communion me met mal à l'aise, car je n'ai pas accompli ce rituel depuis de nombreuses années, mais je m'y plie tout de même. Un peu plus tard, l'orgue accompagne les fidèles qui quittent l'église, mais Bernadette et moi ne bougeons pas de notre banc.

— Depuis quand êtes-vous lié à… elle ? me demande Bernadette en pivotant vers moi.

Il est manifeste qu'elle rechigne à prononcer le nom d'Ursula à l'intérieur de l'église. J'hésite quelques secondes. Dois-je continuer à mentir à cette femme qui semble vouloir me venir en aide ? Ne serait-il pas plus approprié de lui avouer que je ne connais pas cette intrigante Ursula et que j'ai fourré mon nez de façon illicite dans leurs affaires ?

— C'est arrivé par accident.

Pour le moment, je préfère proférer encore quelques mensonges. Je me tourne vers une statue de la Vierge Marie et culpabilise en croisant son doux regard.

— Je n'en doute pas. Vous n'étiez jamais là lors de nos rencontres. Pourquoi désirez-vous la voir ?

— Je préfère ne pas en parler.

— Nous sommes tous dans la même situation. Vous allez écrire un article sur ce qui se passe à Stoneham ?

— Je le répète, je ne suis pas ici pour mon travail.

Bernadette prend une grande inspiration et s'adosse au banc de bois. Même si la messe est terminée, elle continue à triturer son chapelet. Le contact de l'objet semble lui faire du bien.

— Je ne crois pas un mot de ce que vous dites, affirme-t-elle après avoir réfléchi un moment. Comment osez-vous mentir alors que vous vous trouvez dans la maison de Dieu ?

Je suis démasqué et je n'ai pas envie de m'enfoncer davantage. Le rouge aux joues, je choisis finalement de jouer cartes sur table.

— C'est la disparition de Benjamin Leblanc qui m'a amené ici. J'ai fait la rencontre de Mireille lors de la battue sur le mont Wright. Je l'ai trouvée étrange et j'ai tout de suite senti qu'elle cachait quelque chose…

— Et vous avez voulu en savoir plus.

— En effet.

— Qu'avez-vous découvert ?

C'est à mon tour de prendre du recul et de réfléchir à ce que je peux raconter à Bernadette.

— Échange de bons procédés, madame, dis-je en baissant le ton. Si je m'ouvre à vous, il faudra que vous me fassiez confiance à votre tour.

Bernadette semble perplexe. Son regard s'accroche à une grande croix et elle implore du regard l'homme crucifié de lui souffler la bonne réponse. Au loin, j'aperçois une femme qui allume un lampion, tandis qu'un vieil homme s'agenouille sur un prie-Dieu.

— Pour cela, murmure Bernadette, visiblement effrayée, vous devez me jurer de ne jamais écrire à propos de cette histoire dans votre journal.

— Si c'est de votre quiétude dont il est question, je peux taire votre nom.

— Je vois bien que vous ne comprenez rien à ce qui se joue au mont Wright ! s'emporte Bernadette en bondissant sur ses pieds. Ce n'est pas de ma tranquillité qu'il s'agit !

Elle me plante là et se dirige vers la sortie. Je me lève à mon tour et la rattrape sans difficulté. Quand ma main se pose sur son épaule, elle se retourne comme une vipère prête à frapper.

— La mère Shipton est une créature diabolique ! me jette-t-elle au visage. Elle devient plus puissante chaque fois qu'une personne fait sa connaissance. Pouvez-vous imaginer le drame qui surviendrait si les milliers de lecteurs du *Télégraphe de Québec* découvraient son existence ?

— La mère Shipton ?

Autour de nous, les quelques fidèles qui s'incrustent dans l'église commencent à se rendre compte que notre conversation ressemble davantage à une altercation. Je me force à sourire dans l'espoir qu'ils retournent rapidement à leurs prières.

— Ursula Shipton ! scande Bernadette en joignant les mains comme si elle s'apprêtait à prier. Nous avons tout fait pour qu'elle se manifeste et, maintenant qu'elle est là, je n'ai plus qu'un seul souhait, c'est qu'elle disparaisse !

— Laissez-moi vous aider !

— Vous ne pouvez pas m'aider, siffle la femme en esquissant un nouveau mouvement en direction de la sortie. Nous sommes tous maudits !

— Alors, il faut prévenir la police !

C'est un regard d'une incroyable dureté que Bernadette plante dans le mien. Elle s'approche un peu et m'attrape subitement au collet. La femme est petite, elle ne semble pas très forte, mais la farouche détermination dont elle fait preuve ébranle ma confiance en mes propres moyens.

— Si vous faites cela, vous êtes un homme mort.

— C'est une menace ?

— C'est un avertissement, rien de plus. Je sais ce dont Mireille et Michel sont capables. Ils sont sans pitié pour ceux qui essaient d'entraver leurs desseins.

— Alors, c'est d'eux qu'il me faut me méfier.

Bernadette se détend un peu et me libère tout doucement. Elle tapote ensuite du bout des doigts le pli qu'elle a fait dans la fibre de mon chandail. Elle affiche maintenant un sourire triste, presque résigné.

— Vous ne croyiez tout de même pas que je menaçais de vous tuer ?

Pour toute réponse, je secoue la tête.

— Nous avons ravivé le souvenir de la mère Shipton et maintenant elle s'agrippe à nous comme une teigne. Elle puise sa force dans chacune des pensées que nous nourrissons à son sujet. Si, pendant un certain temps, Michel a réussi à la maîtriser, ce n'est plus le cas désormais. Ursula Shipton est devenue suffisamment forte pour continuer à exister sans nous.

— C'est curieux, vous osiez à peine prononcer son nom, tout à l'heure.

Les yeux de Bernadette se remplissent de larmes. Je m'en veux d'avoir fait une remarque susceptible de la blesser.

— Si je ne fais plus attention, c'est que votre irruption dans ma vie m'a fait comprendre que jamais nous ne pourrons nous débarrasser d'elle.

La femme tourne les talons et se dirige vers la sortie sans que j'essaie de la retenir.

17

Québec, 9 h 49

C'est secoué par ma rencontre avec Bernadette que je me dirige vers les bureaux du journal. Je suis tellement abasourdi par les propos de la femme que je ne pense même pas à prendre un second café en passant devant la brûlerie.

Perdu dans mes pensées, je dépasse la réception de l'immeuble sans quitter des yeux le bout de mes chaussures. Je m'apprête à franchir la porte de verre qui mène à la rédaction quand un éclat de voix me force à revenir sur terre. C'est Claudia, la jolie réceptionniste aux cheveux châtains, aux yeux verts et au nez légèrement aquilin qui vient de me héler. Elle a le bras tendu vers moi et secoue d'un mouvement absent quelques bouts de papier jaune.

— Des messages pour toi, Félix! annonce-t-elle de sa voix nasillarde. Il y a aussi cette dame qui t'attend là depuis bientôt deux heures.

Je fais fi des feuilles de calepin qui froufroutent au bout des doigts de la réceptionniste pour me retourner vers la salle d'attente. Une femme grande et svelte, dont la tête est couronnée par une impressionnante crinière de la couleur du feu, feuillette avec un ennui évident un magazine de mode. Ses interminables jambes bottées de cuir sont croisées; elle porte un jeans qui épouse parfaitement sa silhouette longiligne et un chemisier rose pivoine qui décuple l'éclat de sa chevelure. À son cou, je remarque un pendentif de cristal entremêlé à un élégant collier de perles. Chez elle, le seul élément qui cloche, ce sont des lunettes de plastique noir aux verres affreusement épais qui transforment ses yeux en billes bleues disproportionnées.

La visiteuse me dit vaguement quelque chose. Je me souviens alors de notre rencontre insolite à la bibliothèque de l'Université Laval. Elle m'aperçoit au moment où je la reconnais. Nos regards se croisent. Elle sourit et balance négligemment le magazine sur le siège d'à côté. J'émergeais peut-être d'un cauchemar au moment où nos chemins se sont croisés, mais je suis sûr de ne pas lui avoir dit mon nom. Comment peut-elle m'avoir retrouvé ?

— Heureuse de vous revoir, monsieur Saint-Clair, dit-elle en marchant vers moi.

— Violette, c'est bien ça ?

Elle opine du chef et me gratifie d'un large sourire qui découvre ses dents parfaites et immaculées. Elle s'immobilise devant moi et fouille dans son sac à main.

— Vous avez laissé tomber ceci, dit-elle en tendant vers moi une carte plastifiée. Croyez-vous au pouvoir de la coïncidence, monsieur Saint-Clair ?

Quand elle me tend ma carte de presse, je me souviens que j'ai laissé tomber toutes mes affaires avant de quitter la bibliothèque. Je me saisis de l'objet avec soulagement, car sa réapparition signifie que je n'aurai pas à subir les foudres de la revêche préposée à l'administration.

— J'avoue ne m'être jamais posé la question.

— Je suis heureuse de constater que vous allez bien.

— Je manque cruellement de sommeil, mais je survis. Comment puis-je vous remercier ?

— En me laissant vous venir en aide.

Il y a quelque chose d'intimidant dans le regard de Violette et ce n'est pas seulement à cause de ses lunettes. J'ai l'impression qu'elle voit à l'intérieur de mon crâne et qu'elle arrive à lire la moindre de mes pensées.

— Avez-vous besoin d'aide, monsieur Saint-Clair? me demande-t-elle en posant sa main sur mon avant-bras.

— Je… euh…

Je sais que Claudia nous observe et cela me met terriblement mal à l'aise, mais je suis incapable de dissimuler le trouble que Violette cause chez moi. Mes cheveux se dressent sur ma nuque, des frissons me parcourent de haut en bas et j'ai des papillons dans le ventre. J'ai subitement l'impression de me tenir debout, nu comme un ver, au beau milieu d'un palais de courants d'air.

— Ne dites rien, Félix, continue-t-elle alors que sa main parcourt mon bras et descend jusqu'à mes doigts.

Les mains de Violette sont douces comme de la soie et merveilleusement chaudes. Je ressens un engourdissement dans tout le corps et mes paupières deviennent lourdes. Pendant un instant, j'ai la sensation que la course du temps s'arrête. Les bruits ambiants s'amenuisent, la lumière prend une teinte bleutée et le monde entier semble suspendu au-dessus d'une autre dimension.

— Je ressens le mal qui vous guette et qui bientôt vous traquera sans relâche, susurre-t-elle à mon oreille. Qu'avez-vous vu, Félix? Pourquoi s'acharne-t-on ainsi sur vous? Quel est le sombre nuage qui flotte au-dessus de votre tête?

Je plonge dans le regard sibyllin de Violette et j'ai l'impression de perdre connaissance. Le monde tourbillonne, mes jambes deviennent flageolantes et mon cœur se met à palpiter à un rythme infernal dans ma poitrine. Une forme noire se matérialise soudain dans mon esprit. Elle erre dans une forêt de bouleaux et perce le brouillard environnant. Elle contourne un imposant rocher et passe tout près d'une marmite fumante. Je ne peux pas voir ses pieds, mais j'entends le crissement des cailloux qu'elle écrase en marchant. Des feuilles mortes jonchent le sol, un vent sournois siffle à travers les branches dénudées et le ciel est d'une épouvantable grisaille.

La forme noire continue à grimper sur le sentier sinueux de la montagne. Elle enjambe un étroit ruisseau, contourne un massif d'épinettes centenaires et s'arrête.

Devant elle, il y a un amoncellement de branches et un tas de pierres. Au loin, perdu dans la brume, je devine un nouveau rocher à la forme inquiétante dont le sommet est avalé par les nuages. Un cri retentit que l'écho de la montagne répercute à l'infini. La silhouette encapuchonnée fonce vers la source du hurlement. Un instant plus tard, des mains osseuses à la peau diaphane parcheminée et parcourue par des veines violacées se referment sur le cou taché de sang du petit Benjamin et le traînent dans un sombre tunnel.

Puis la mère Shipton tourne son visage hideux vers moi.

18

Québec, 10 h 37

Quand elle se rend compte que je chancelle dangereusement sur mes pieds, Claudia alerte tout de suite Julien. Il arrive à bride abattue à la réception du journal et m'attrape sous les aisselles au moment où mes genoux fléchissent. Je me sens plutôt faible, mais je ne perds pas connaissance. Incapable du moindre mouvement, je laisse Julien me traîner jusqu'à un siège. Violette affiche une mine catastrophée lorsqu'elle s'assoit à côté de moi.

— Je suis désolée! balbutie-t-elle quand mes yeux croisent les siens, globuleux.

— Qu'est-ce qui s'est passé? demande Julien en posant ses doigts dans mon cou pour prendre mon pouls.

Je suis un peu confus et, comme je n'arrive pas à mettre de l'ordre dans mes idées, Violette n'a d'autre choix que de lui répondre.

— C'est ma faute, s'accuse-t-elle. J'ai provoqué chez lui une transe et j'avais omis de l'en prévenir.

Julien adresse un regard perplexe à la femme rousse. Elle hausse les épaules comme si elle venait d'affirmer la chose la plus normale du monde et essaie de prendre à nouveau ma main dans la sienne. Je me cabre brusquement, comme si un crocodile tentait de me lécher les doigts.

— Oh ! Du calme ! s'exclame Julien.

Mon mouvement fait rougir Violette jusqu'à la racine des cheveux. D'un geste nerveux, elle remonte ses épaisses lunettes sur l'arête de son nez. Quand il me voit reprendre des couleurs, Julien m'aide à me remettre sur pied et à regagner mon bureau.

— Suivez-nous, dis-je mollement à l'intention de Violette.

J'ai la tête légère. J'ai l'impression d'évoluer dans un film à petit budget qui abuse des séquences de ralenti, mais je retrouve peu à peu mes esprits. Je me force à inspirer profondément et à battre des paupières le moins souvent possible. Julien me guette du coin de l'œil et semble soulagé quand je me laisse littéralement tomber sur ma chaise.

— Comment te sens-tu ? me demande-t-il en prenant appui sur l'accoudoir.

— Assez bien.

— Peut-être, mais tu as tout de même une sale gueule !

— C'est gentil.

— C'est quoi, cette histoire de transe? demande-t-il en baissant la voix.

La question s'adresse évidemment à moi, mais aussi à Violette qui se dandine bizarrement devant mon bureau. Je ne comprends pas vraiment ce qui vient de m'arriver, mais je me risque tout de même à répondre.

— J'ai vu des choses étranges, des lieux en tous points identiques à ceux que j'ai déjà visités en rêve...

Mon affirmation fait bondir la rouquine. Elle contourne le bureau et se jette à genoux devant moi. Son visage est défait par la peur.

— Que s'est-il passé dans ce rêve ? Que vous a dit cette femme horrible ?

Je suis stupéfait devant la question de Violette, qui implique nécessairement qu'elle a vu la même chose que moi. Je ne suis toutefois pas surpris qu'elle devine la question qui s'impose à mon esprit.

— Oui, j'ai tout vu à travers le cristal, mais je n'ai rien entendu, chuchote-t-elle. Maintenant, dites-moi ! C'est important.

— Qu'êtes-vous donc ? Une sorcière ?

Julien lève les yeux au ciel. Il est manifeste

qu'il craint que je sois sous l'emprise d'un charlatan.

— En quelque sorte...

— C'est quoi, ce délire? s'emporte mon collègue en s'assurant que personne n'écoute notre conversation. D'abord, qui êtes-vous?

— Violette Leduc, décline-t-elle. J'ai fait la rencontre de ce monsieur à la bibliothèque de l'Université Laval hier après-midi. Dès que je l'ai aperçu, j'ai tout de suite su que quelque chose n'allait pas.

— Il faut que nous parlions, madame, dis-je en me grattant la tête, mais je préférerais que nous discutions ailleurs qu'ici.

— Tu ne vas tout de même pas t'en aller comme ça? s'indigne Julien. Tu viens tout juste de tomber dans les pommes!

Au même instant, le rédacteur en chef passe devant nous. Julien perd toute contenance, mais le patron ne remarque pas sa présence, pas plus que celle de Violette. Il a le nez plongé dans un dossier duquel dépassent de nombreuses feuilles froissées.

— Beau travail, Saint-Clair, me lance-t-il sans même ralentir. J'attends la suite de votre histoire pour l'édition de demain.

***

Julien décide que je ne suis pas suffisamment remis de mes émotions pour partir seul avec Violette. Il court jusqu'à son bureau, ramasse son manteau et nous retrouve, un peu essoufflé, sur le trottoir en face de l'édifice. Il ne fait pas trop froid et nous marchons tous les trois en silence jusqu'à la brûlerie la plus proche.

— Vous devriez prendre un chocolat chaud, me suggère Violette alors que nous attendons d'être servis. Ça vous aidera à retrouver vos esprits.

J'ai terriblement le goût d'un café, mais j'ai aussi grand besoin d'énergie. J'opte donc pour la suggestion de Violette et vais même jusqu'à demander un tourbillon de crème fouettée pour couronner ma décadente boisson. Armés de nos gobelets, nous nous dirigeons machinalement vers une table légèrement en retrait. Mille et une questions se bousculent dans ma tête, mais je dois en choisir une seule pour amorcer la conversation.

— Est-ce que ce que j'ai vu tout à l'heure était réel ?

— Il y a de fortes chances pour que ce soit le cas, répond Violette. Savez-vous qui est cette femme horrible ?

— C'est la mère Shipton. Ursula Shipton.

Comme s'ils n'étaient pas déjà suffisamment grands, Violette écarquille les yeux. La surprise que je lis sur son visage ne me dit rien qui vaille.

— En êtes-vous sûr? s'enquiert la rouquine en réprimant un frisson.

— Oui. Vous la connaissez?

— Je sais qui elle est.

— Alors, dites-le-nous, s'impatiente Julien en sirotant son cappuccino.

Violette prend une grande inspiration et fourrage machinalement dans ses longs cheveux. Elle jette un coup d'œil à la ronde pour s'assurer que personne ne nous écoute. Le va-et-vient incessant des clients pressés semble lui faire plaisir.

— La mère Shipton est une prophétesse d'Angleterre qui a vécu au XVIe siècle dans la région du Yorkshire…

— De mieux en mieux! s'exclame Julien, visiblement outré par les révélations de Violette.

— Je comprends votre scepticisme, mais j'aimerais que vous cessiez de me couper la parole. N'oubliez pas que j'essaie de vous aider.

— Julien ne vous interrompra plus, dis-je en décernant à mon ami un regard lourd de reproches.

Violette me sourit et ferme les paupières pour remettre de l'ordre dans ses idées.

— La mère Shipton est une figure bien

connue dans le monde de la magie, continue-t-elle. Elle représente la sorcière originelle, la dame mystérieuse qui possède des pouvoirs dont le commun des mortels ignore tout.

« Ursula Sontheil a vu le jour dans une grotte perdue au plus profond de la forêt qui borde le petit village de Knaresborough. Sa mère, une toute jeune fille devenue enceinte hors des liens sacrés du mariage, avait été bannie de sa communauté. On sait bien peu de choses au sujet de l'enfance d'Ursula et on ne sait pas non plus comment elle a fait la rencontre de l'homme qui allait lui donner son nom. Toby Shipton, un charpentier des environs, l'a pourtant bel et bien épousée.

« Ce serait à l'âge adulte qu'elle aurait écrit, sous forme de poèmes, ses premières prophéties. Si la légende dit vrai, elle aurait prédit la chute de princes puissants, le grand incendie de Londres survenu en 1666 et même la défaite de l'Invincible Armada.

« Ursula était aussi une puissante guérisseuse et c'est sans doute ce don qui lui a valu le sobriquet de Mother Shipton. Elle aurait soigné des centaines de personnes venues des quatre coins du royaume, en plus de s'adonner à la magie cérémonielle.

« On dit qu'elle était affreusement laide. On lui doit l'image que nous nous faisons aujourd'hui de la sorcière des contes de fées : vilains cheveux blancs, sourire édenté, peau grisâtre, nez recourbé et menton proéminent. Comme vous pouvez le constater, le mythe qui l'entoure a traversé le temps. »

Je réfléchis quelques secondes avant de prendre la parole.

— Le problème, c'est que la femme dont vous nous parlez est certainement morte depuis de très nombreuses années. Je doute fort que ce qui se passe à Stoneham ait quelque chose à voir avec un tel personnage. La disparition du petit Benjamin et la défenestration de la vieille dame sont des événements bien réels. Nous sommes loin du mythe que vous racontez.

— Avez-vous été en contact avec la mère Shipton ?

— J'ai entendu sa voix, mais je ne l'ai jamais vue, dis-je en me remémorant l'épisode de la maison vacante de Lac-Delage. C'est par hasard que j'ai appris l'existence d'une certaine Ursula et c'est un peu plus tard qu'on m'a révélé qui elle était.

— Qui vous a parlé d'elle ?

— Une femme de Stoneham que j'ai rencontrée ce matin. Je vous avoue qu'elle semblait terrorisée.

Julien paraît excédé par la teneur de notre conversation. Je le connais suffisamment pour savoir exactement ce qu'il pense. Pour lui, nous perdons du temps précieux avec une affabulatrice. J'ignore volontairement les grimaces qu'il m'adresse sans la moindre subtilité.

— Que faisiez-vous à la bibliothèque quand nous nous sommes rencontrés ? demande Violette.

— Je cherchais à comprendre ce qu'est une triade.

— Pourquoi donc ?

— J'ai entendu la mère Shipton dire qu'elle ne pouvait pas agir parce que la triade n'était pas complète. J'ai voulu savoir de quoi il s'agissait.

— Et vous avez trouvé ?

— Je n'ai pas eu beaucoup de temps pour mener mes recherches.

Je fouille dans la poche de mon manteau à la recherche de la serviette de table que j'ai récupérée dans la poubelle du *McDonald's* et la tends à Violette qui s'excite aussitôt.

— C'est la triade de la grande déesse ! dit-elle en lissant du bout du doigt le papier froissé. Il s'agit en fait des trois phases de la lune. Le premier croissant représente la jeune fille vierge ; le cercle du centre, la femme enceinte, et le dernier croissant, la vieille femme sage.

L'explication de Violette éveille la curiosité de Julien. Il se redresse et arrache pratiquement la serviette de table des mains de la rouquine pendant que je sors un calepin et un crayon de ma poche. Je reproduis rapidement le dessin de Bernadette. Une seule question occupe toutes mes pensées.

— Le premier croissant pourrait-il représenter un enfant ?

— Non. Selon la tradition, il s'agit plutôt d'une jeune vierge, confirme Violette. Pourquoi demandez-vous cela ?

Je griffonne rapidement quelques mots sur la page de mon calepin, juste au-dessus du dessin que je viens de tracer. À mesure que mon hypothèse s'éclaircit dans mon esprit, les battements de mon cœur s'accélèrent.

— Ce symbole est-il parfois associé à une quelconque forme de sacrifice humain ?

Ma question surprend Violette, dont les sourcils s'arquent pour former deux amusants accents circonflexes.

— Que je sache, non, répond-elle en déglutissant difficilement. Vous craignez que ce soit le cas ?

— Je ne sais plus trop quoi penser, mais il faudra en avoir le cœur net !

19

Québec, 11 h 20

Julien annonce qu'il doit retourner au bureau, mais, avant de s'exécuter, il demande à me parler seul à seul. Je m'excuse auprès de Violette et nous nous éloignons de quelques pas.

— C'est à propos du foulard, murmure-t-il. Veux-tu savoir ce que Mireille a donné à boire à sa nièce ?

— Crache le morceau !

— Une espèce d'hydromel. L'analyse du laboratoire est formelle, ce liquide n'est qu'une décoction d'eau, de miel, de gomme d'épinette et d'épices.

— Pas la moindre trace de drogue ?

Julien secoue la tête. Je devine à son expression que les résultats de l'expertise le déçoivent. Avant de quitter la brûlerie, il ne peut s'empêcher de me mettre en garde contre Violette.

— Elle est peut-être très convaincante, mais je crois que tu devrais te méfier de cette femme, dit-il après s'être assuré qu'il lui tourne le dos. Elle ne serait pas la première originale à mentir dans l'espoir de vivre ses quinze minutes de gloire !

Je fais mine d'abonder dans le sens de mon ami pour ne pas l'inquiéter, mais je suis d'un tout autre avis. Depuis quarante-huit heures, je suis plongé dans un tourbillon d'événements insolites, je fais l'expérience de sensations incompréhensibles et je suis confronté à des phénomènes que je ne parviens pas à expliquer. Les assertions de Violette s'apparentent peut-être plus à la fumisterie qu'à la science, mais elle en connaît tout un chapitre sur l'ésotérisme. Comme je subodore que des considérations mystiques se cachent derrière les événements survenus à Stoneham, je préfère tirer d'elle tout ce que je peux.

J'attends que Julien ait franchi les portes de la brûlerie avant de revenir vers Violette. Quand je me rassois devant elle, je constate que sa mine s'est assombrie et qu'elle est perdue dans ses pensées.

— Sauriez-vous reconnaître l'endroit que vous avez vu lors de votre transe ? me demande-t-elle très sérieusement.

— Je suis persuadé qu'il s'agissait de la forêt ancienne du mont Wright.

— Je m'en doutais, mais sauriez-vous retrouver ce rocher ?

— Je ne sais pas.

Je ferme les yeux dans l'espoir que le voile noir de mes paupières ravive le souvenir de mon inexplicable voyage dans l'autre dimension.

— Je pense que oui, dis-je sans rouvrir les yeux.

— Alors, il faut essayer, conclut-elle en se levant brusquement.

Quand j'émerge des tréfonds de ma mémoire, la rouquine a déjà ramassé son sac et se dirige rapidement vers la sortie.

— Mais où allez-vous ?

En un clin d'œil, Violette se retrouve à l'extérieur ; elle marche d'un pas vif vers une voiture rouge garée en bordure de la route. Quand je la rattrape, elle m'ordonne d'un simple mouvement de la tête de monter du côté passager. Je suis suffisamment remis de mes émotions pour ne pas obtempérer si facilement.

— Montez ! ordonne-t-elle en ouvrant sa portière.

— Où allons-nous ?

— Chez moi.

— Et pourquoi donc ?

Violette s'impatiente. Elle jette son sac à main sur la banquette arrière et revient vers moi en secouant frénétiquement son porte-clés. Ses grands yeux verts et sa tignasse incendiaire lui confèrent une allure imposante.

— Si je vous le dis, vous ne m'accompagnerez pas, dit-elle avec un air de défi.

Je n'ai rien à perdre, rien à craindre, et je ne suis pas certain d'avoir mieux à faire.

— C'est bon. Allons-y !

***

— Je ne croyais pas que nous allions aussi loin.

Violette habite une très jolie maison bâtie sur les berges de la rivière Jacques-Cartier. Ses toits bruns et pointus, les pierres jaunâtres de ses murs et ses volets chocolatés en font une parfaite maison campagnarde. De grands arbres entourent la résidence, un bosquet de saules arctiques envahit le mince trottoir qui mène à la porte principale et des boîtes à fleurs, évidemment vides à cette époque de l'année, sont accrochées à chacune des fenêtres de la façade.

— Je n'aime pas beaucoup la ville, affirme-t-elle en coupant le moteur. Je préfère la tranquillité de la campagne. Venez.

Violette me précède jusqu'à l'entrée de sa résidence. Le vent n'est pas très fort, mais, en raison de la proximité de la rivière, il est chargé d'humidité et me glace les os. Si mon manteau de laine bouillie réussissait à me garder au chaud en ville, il ne suffit guère ici. Je me précipite à l'intérieur de la maison en marchant presque sur les talons de mon hôtesse.

Violette n'a pas encore refermé la porte derrière elle que deux énormes chiens se précipitent sur nous. Ce sont de véritables monstres au pelage blanc. L'un d'eux m'accueille en enfonçant sa truffe dans mon derrière. Un plus petit chien aurait immédiatement reçu une tape sur le museau, mais, devant le gigantisme de la bête, je me mets plutôt à danser la gigue dans l'espoir de lui compliquer la tâche. Violette rappelle ses deux molosses à l'ordre en les chassant de l'étroit vestibule.

— J'espère que vous n'avez pas peur des chiens ! s'exclame-t-elle, enjouée. Coquelicot et Pleurote sont d'adorables toutous, croyez-moi. Le montagne des Pyrénées est un animal très doux.

— Je suis heureux de vous l'entendre dire, dis-je, mi-figue, mi-raisin.

— Passons à l'arrière, voulez-vous ?

Violette retire ses bottes en vitesse et quitte le hall d'entrée pour rejoindre la cuisine bleu et jaune au décor résolument provençal. Quand je passe devant les deux ours polaires qui me regardent en secouant la queue, je tente de me faire discret et tout petit.

L'intérieur de la maison de Violette m'apprend qu'aucun homme n'habite là. Au salon, le mobilier est recouvert de tissu fleuri, le téléviseur est minuscule et il y a des bouquets de lys sur chacune des tables. Des bibliothèques débordantes de livres flanquent une cheminée de pierres où fument encore quelques tisons rougeoyants. Au pied de l'âtre, un grand tapis multicolore a été disposé pour que les chiens s'y couchent. La résidence de Violette est coquette, elle respire le confort et il y flotte un doux parfum floral.

Je suis Violette dans une pièce dont les baies vitrées s'ouvrent sur la rivière. Une armoire de bois massif se trouve tout près de la porte d'entrée, tandis qu'une lanterne turque en argent terni surplombe une table ronde entourée de trois chaises. Dans le coin nord, un petit poêle à bois dispense une agréable chaleur. À l'est, je remarque un meuble recouvert d'une nappe noire sur lequel trônent deux chandelles, un encensoir, une longue pointe de cristal, une minuscule marmite et une étrange sculpture aux formes arrondies. Une boîte de métal et un coussin de velours noir se trouvent au centre de la table. Un jeu de cartes dont l'endos bleu foncé est constellé de taches dorées est éparpillé sur sa surface. D'autres objets disséminés aux quatre coins de la pièce me portent à croire que je me trouve dans le laboratoire d'une alchimiste. Je remarque notamment un mortier, des fioles de verre bleuté, la réplique en pierre d'un crâne humain, un balai de paille, un télescope doré et, posé sur un lutrin brinquebalant, un livre fort ancien qui ressemble à un grimoire.

— Je vous en prie, Félix. Prenez place, dit Violette en désignant l'un des trois fauteuils.

Je suis sidéré devant l'aspect inusité de l'endroit où je me trouve. J'ai subitement l'impression d'avoir été transporté dans le merveilleux monde d'Harry Potter.

— Je pratique la Wicca, me confie la rouquine en prenant elle-même place à la table. Savez-vous ce que c'est ?

Éberlué, je secoue la tête en m'assoyant à mon tour. À mon grand étonnement, les fauteuils sont merveilleusement moelleux.

— La Wicca est souvent décrite comme la religion des sorcières. Ce n'est ni tout à fait faux ni tout à fait vrai. Le mot « sorcière » a une connotation négative et on croit à tort qu'il implique la pratique de la magie noire. La plupart des wiccans s'adonnent à la magie, c'est vrai, mais il s'agit essentiellement de rituels inspirés du chamanisme et du druidisme. Nous aimons et respectons la nature, mais aussi tous les êtres vivants. Nous croyons en la loi du triple retour, qui précise que tout ce que fait le magicien, que ce soit bien ou mal, lui revient trois fois. Finalement, nous agissons toujours en suivant ce simple précepte : si ça ne blesse personne, fais ce que tu veux.

Violette parle de magie et de sorcière comme on parle de la pluie et du beau temps. Elle est d'un naturel désarmant et, si ses gros yeux étonnent dans le monde normal, ils paraissent là à peine assez grands pour entrevoir tous les mystères de la quatrième dimension.

— Vous faites de la magie ?

— Je pratique cet art, en effet.

— Montrez-moi !

Violette éclate d'un rire cristallin. Sans même prendre la peine de me répondre, elle attrape la boîte de métal qui se trouve entre nous. Avant d'en retirer le couvercle, elle braque son regard sur moi.

— Auriez-vous la gentillesse de déposer votre téléphone et tous les autres appareils électroniques que vous transportez avec vous dans le plateau qui se trouve sur la table, tout juste à droite de la sortie de cette pièce ?

Je m'exécute sans poser de questions. Je

m'éloigne, dépose mon téléphone et ma montre dans le plateau et reviens vers mon siège.

Violette retire enfin le couvercle de sa boîte et plonge ses deux mains à l'intérieur. Avec mille précautions, elle en extirpe une boule de cristal de près de vingt centimètres de diamètre. Elle dépose la sphère sur le coussin de velours et souffle à trois reprises sur sa surface.

— Je vous prie de ne pas toucher à la boule de cristal, dit-elle en se levant.

Elle se dirige vers l'espèce d'autel qui se trouve à l'est et craque une allumette pour enflammer la mèche des deux chandelles. Elle s'approche ensuite des fenêtres devant lesquelles elle tire de lourds rideaux pourpres. Ils sont si épais que la lumière du jour ne réussit pas à filtrer au travers. Sans l'éclat des chandelles et la lumière diffuse qui émane de la lanterne au-dessus de nous, nous serions plongés dans le noir complet.

Violette attrape le balai et commence à le passer dans toute la pièce. Le moment me semble mal choisi pour faire un peu de ménage. Quand je baisse les yeux, je m'aperçois que les fibres de l'objet ne touchent pas le sol. Le sourire entendu dont la femme me gratifie me fait comprendre qu'elle est parfaitement consciente de ce qu'elle fait.

— Le plan astral se trouve à quelques centimètres au-dessus du nôtre, m'explique-t-elle. Si je désire chasser les énergies négatives qui vous entourent, il est inutile d'écorcher le plancher au passage.

Son rituel complété, elle reprend place dans son fauteuil et ferme les yeux un instant. Un silence complet règne dans la maison. Je devrais être à l'affût de la supercherie, chercher l'élément incongru qui me confirmerait que je me tiens devant un charlatan, mais je me sens si bien que j'en suis incapable de réfléchir.

— Nous nous apprêtons à retourner dans la forêt ancienne, Félix, m'annonce Violette d'une voix très basse. Êtes-vous prêt à partir à la recherche des secrets qui y sont cachés ?

Mes yeux plongent dans les profondeurs infinies de la boule de cristal et je perds contact avec la réalité.

20

Quelque part dans la forêt ancienne

Je sais que nous sommes en plein jour, mais, dans la forêt ancienne, il fait nuit noire. Je me trouve au beau milieu des sentiers de la montagne et, tout autour de moi, les arbres dégarnis de leur parure ressemblent à des insectes géants qui essayeraient de s'envoler. Je tourne sur moi-même dans l'espoir d'apercevoir Violette, mais je suis seul. En tâtant mon poignet droit, je me souviens d'avoir enlevé ma montre. Évidemment, quand je plonge les mains dans mes poches, je constate qu'il me manque aussi mon téléphone.

Un ululement retentit dans la nuit. Le cri de l'oiseau me fait prendre conscience que la forêt est parfaitement silencieuse. Je commence à avancer et des brindilles craquent sous mes pas. J'essaie de me faire léger, mais je n'arrive pas à progresser sans faire de bruit. De petits cailloux roulent sur le sentier, des feuilles mortes se chiffonnent sous mes chaussures et ma respiration, haletante, chuinte comme celle d'un vieillard. Après avoir franchi quelques mètres, je m'arrête et détaille les environs. Je me trouve à l'endroit même où j'ai proposé à Mireille, quelques jours plus tôt, d'emprunter le sentier de pierres. Il ne pleut pas, les roches sont sèches et la lumière de la lune éclaire ma route. Je n'hésite pas une seconde à m'y engager.

Je rechigne à l'admettre, mais la femme à la tuque rose avait sans doute raison. Les nombreuses aspérités du sol rendent le chemin dangereux et je dois m'agripper à tout ce qui me tombe sous la main pour ne pas perdre pied. Je progresse difficilement sur les roches inégales.

Le sentier bifurque brusquement vers la gauche et je me retrouve en face du tronc d'une énorme épinette. Comme je suis maintenant à flanc de montagne, je dois appuyer mon dos à la base de l'arbre pour parvenir à le dépasser. Je franchis l'obstacle sans trop de mal, mais, quand je pose le pied de l'autre côté, le sol se dérobe. Ma jambe plonge vers l'abysse rocheux. Je réussis à m'agripper in extremis à la branche d'un jeune bouleau. Dans ma chute, je m'érafle l'extérieur de la cuisse et du sang perle à travers mon jeans déchiré.

Je me hisse difficilement vers un promontoire de pierre un peu plus large que le reste du sentier et m'arrête pour reprendre mon souffle. Je plisse les yeux pour observer ce qu'il y a sous moi, mais il fait trop noir pour y voir quoi que ce soit. Je me dis que c'est peut-être mieux ainsi, car, si j'avais conscience du gouffre au bord duquel je me balade, peut-être que je n'arriverais même plus à avancer.

Je reprends mon escalade improvisée en m'accrochant aux anfractuosités de la paroi rocheuse. Je mets quelques minutes à rejoindre un nouveau plateau terreux sur lequel je m'agenouille, soulagé. Une chouette ulule une nouvelle fois; aux aguets, je bondis sur mes pieds. Je me trouve devant un immense rocher dont les contours se découpent très nettement dans la noirceur de la nuit. Le roc évoque pour moi celui que j'ai aperçu en rêve, mais, en raison du brouillard qui embuait mon songe, je ne suis pas sûr que ce soit le même. Quand des voix surgissent, je fonce vers lui sur la pointe des pieds et me cache dans son ombre.

Comme le rocher est plus étroit à sa base, je me couche sur le sol pour voir ce qui se cache derrière lui. Un cri s'étrangle dans ma gorge quand j'avise une dizaine de personnes revêtues de longues capes sombres qui se tiennent autour d'un feu de camp. L'une d'entre elles porte un casque étincelant surmonté de cornes de bouc. Son visage est caché par une bande de tissu noir percée de trous à la hauteur des yeux. Tous les autres portent une cagoule foncée. Les flammes vigoureuses qu'ils encerclent projettent leurs ombres et les étirent à un point tel que cela donne l'illusion que des entités se tiennent derrière eux.

— Frères et sœurs, réunissons-nous ! clame l'homme cornu. Joignons nos mains et invoquons ensemble notre puissante mère.

Dans un même mouvement, les participants à l'assemblée s'approchent du feu et ferment le cercle en se donnant la main. Lorsqu'ils lèvent les bras, leur ample cape leur donne l'aspect d'énormes chauves-souris. Je n'aperçois plus l'éclat du feu de camp qu'à travers les mouvements de leurs vêtements.

— Ursula Sontheil, tonne le bouc d'une voix grave, reviens à nous, car nous t'offrirons bientôt les tributs que tu réclames.

L'écho s'empare de la voix de l'homme et répète mollement son inquiétante prière. Quand le silence revient sur la montagne, les fidèles se mettent à tourner lentement autour du feu.

— Je ressens sa présence, annonce soudain une voix féminine.

— Où est-elle ? demande l'homme cornu.

— Elle est là-bas, derrière ces arbres, répond-elle en tournant la tête vers la gauche. Elle nous épie et hésite à s'approcher de nous.

— Peux-tu voir ses vêtements ?

— Elle se drape d'une cape semblable à la nôtre. Je ne vois pas son visage, car il est caché par un large capuchon.

— Et vous autres ? crache l'homme casqué.

Son regard passe sur chacun des visages. Je ne peux voir ses traits, mais je devine son impatience par le ton cassant qu'il utilise.

— Elle avance lentement vers nous, le dos voûté et les poings fermés, renchérit une autre. Je peux voir le bas de son visage, son menton pointu, sa peau très pâle et ses lèvres fanées…

Je fouille les alentours du regard, mais ne vois rien de tout ce que ces gens décrivent. Je sais qu'ils invoquent la mère Shipton, mais elle demeure invisible à mon œil. Se peut-il que je ne sois pas habilité à la voir ? Ou dois-je comprendre qu'elle n'est qu'une invention sordide derrière laquelle ces étranges personnages cachent leurs mauvaises intentions ?

Les pleurs d'un enfant attirent mon attention et celle des personnes rassemblées dans la forêt. En rampant, je m'avance un peu plus dans l'espoir de repérer la source du bruit, mais je ne vois rien à part les flammes du feu de camp qui ondoient joyeusement vers le ciel. Le cercle humain est rompu quand un homme accompagné d'un petit garçon apparaît tout près du rocher derrière lequel je me cache. Je m'efforce de ne pas bouger et même de retenir mon souffle, car, si l'homme ou l'enfant tournait la tête, je serais découvert. Le garçonnet est secoué par de gros sanglots. Ses joues ruissellent de larmes, il a le nez morveux et son visage est presque écarlate. L'endroit est tellement sinistre que je comprends qu'il soit effrayé par sa promenade en forêt. Quand le bouc s'approche des nouveaux venus, l'enfant essaie de s'enfuir, mais l'homme qui l'accompagne l'en empêche en saisissant rudement sa menotte. De violents hoquets de terreur secouent son petit corps et c'est sans réfléchir que je me lève d'un bond.

Je me tiens en face de l'homme cornu, mais il ne semble pas me voir. Je fais volte-face et, quand mon regard se pose sur l'homme et l'enfant, je constate que je suis invisible pour eux également. L'enfant pleure sans discontinuer et le visage congestionné de l'homme qui l'a traîné jusque-là me porte à croire qu'il est en proie à un intense conflit psychologique. Son regard va alternativement du garçon au bouc et ses mâchoires sont crispées.

— Que fait-il ici? demande le bouc en désignant le garçonnet.

— C'est mon tribut. En échange de la guérison de Sarah.

Un murmure secoue les fidèles encagoulés qui se tiennent toujours auprès du feu. L'affirmation de l'homme semble les surprendre. Depuis leur arrivée, je me doutais de l'identité des deux intrus, mais je sais maintenant avec certitude que je suis en présence de Sébastien Simoneau et de son beau-fils, Benjamin Leblanc. Sarah, c'est le nom de la mère du petit.

— Ce n'est pas ce qu'a demandé la mère Shipton, Sébastien, gronde le bouc. Et il est trop tôt pour cette offrande.

Un rire spectral résonne alors dans les bois. Je recule de quelques pas et me retrouve adossé au rocher. L'éclat de rire provient des entrailles de la forêt et j'ai l'impression qu'il nous englobe tous, qu'il surgit de partout.

— Mère Shipton ! hurle l'homme en attrapant le petit sous les bras pour le soulever vers le ciel. Mère Shipton, je vous offre cet enfant en échange de la vie de sa mère.

Le bouc tourne la tête dans tous les sens et rejoint les autres d'un pas pressé. Sans lâcher le gamin, Sébastien Simoneau marche dans son ombre et s'approche des formes noires qui restent silencieuses et immobiles autour du feu. Je tente une nouvelle fois de m'interposer, mais, comme je suis invisible, je n'arrive pas à freiner Simoneau dans son élan.

— Approchez, mère Shipton ! Prenez-le avant qu'apparaisse le premier croissant de lune !

Je suis sidéré par la scène à laquelle j'assiste. Je tourne autour de Simoneau, je gesticule dans l'espoir d'attirer l'attention du petit, mais toutes mes tentatives sont parfaitement inutiles. Je ne comprends rien à la magie qui m'a propulsé dans cet univers où je ne suis rien de plus qu'un spectateur. Mon impuissance me rend malade.

Un hurlement déchire la nuit. Il est strident et affreusement éraillé, à mi-chemin entre l'éclat de rire et le cri de fureur. Les disciples du bouc serrent les rangs et leurs regards vont dans tous les sens. Il est manifeste qu'ils sont effrayés.

Je hurle à mon tour, mais mon cri ne suscite pas la moindre réaction. J'espérais que ma voix réussisse là où mon corps avait failli, mais il n'en est rien. Pour ces êtres dérangés qui mènent d'inquiétants rituels dans la forêt ancienne, je n'existe tout simplement pas.

— Partez ! ordonne soudain l'homme cornu en se tournant vers ses disciples. Quittez cette montagne, fuyez la forêt !

La plupart des formes noires disparaissent dans les profondeurs du boisé, tandis que certains hésitent avant de quitter les lieux. Quand le bouc fait mine de se jeter sur eux, les quelques récalcitrants finissent par obéir.

— Tu ferais bien de partir avant qu'elle apparaisse, prévient l'homme cornu en s'adressant à Simoneau.

Il lâche l'enfant qu'il tient toujours à bout de bras. Benjamin fait une chute brutale sur le sol et s'écrase aux pieds de son beau-père. Il se met à crier de douleur. Je me précipite auprès de l'enfant. J'essaie de le prendre dans mes bras, mais je ne peux rien pour lui. Il semble que nous ne soyons pas dans la même dimension.

— Mère Shipton, vous devez guérir Sarah ! beugle Sébastien Simoneau en plaçant ses mains en porte-voix.

Je ne sais plus comment réagir, car, quoi que je fasse, mes actes sont autant de coups d'épée dans l'eau. Je ne puis qu'observer les alentours à la recherche d'un indice, d'un élément capable de m'expliquer un tant soit peu ce qui se passe dans cette forêt. L'homme cornu se retourne et pointe une masse sombre qui fait mine de se cacher derrière un arbre assez éloigné. Le feu de camp a perdu beaucoup de son intensité et je ne réussis pas à voir de quoi il s'agit. Est-ce un fidèle qui a décidé de rebrousser chemin, un animal qui erre dans le bois, ou suis-je en présence de la mère Shipton ?

— Approche, Sébastien, énonce une voix grinçante qui me semble extrêmement proche.

Pas de doute, c'est la voix de la mère Shipton. L'homme attrape l'enfant par le col de son manteau et le traîne de force en direction de la masse sombre. Bizarrement, Benjamin ne pleure plus. Ses yeux fixent les profondeurs de la forêt et je jurerais qu'il voit quelque chose qui nous échappe.

— Reste où tu es et fais avancer l'enfant, commande Ursula.

Simoneau s'immobilise et pousse Benjamin vers la masse sombre qui commence à bouger. Bien qu'il soit fort mal en point, le petit avance comme un automate. Il semble attiré vers la chose par une inexplicable force d'attraction. Je fais appel à tout mon courage et m'approche aussi. Je marche aux côtés du garçon en lui chuchotant des propos rassurants, même si je sais très bien qu'il ne les entend pas. Je ne regarde pas où je mets les pieds et je bute contre quelque chose. Benjamin et moi baissons les yeux au même moment et nous découvrons un balai de sorcière qui gît sur le sol. L'enfant plie les genoux pour le toucher, mais, avant que ses petits doigts se referment sur la branche d'épinette, je l'envoie voler plus loin d'un coup de pied. Cela rend l'enfant perplexe et hausse d'un cran la nervosité de son beau-père et de l'homme cornu. J'en déduis que les autres ne peuvent pas percevoir ma présence, mais que les objets sont aussi réels pour moi que pour eux.

— Il y a quelqu'un d'autre! crache la mère Shipton en reculant vers les ténèbres de la forêt ancienne. Donne-moi l'enfant tout de suite.

Les mains et le visage de la mère Shipton sont perdus dans l'ample vêtement qu'elle porte, mais je devine qu'elle tend les bras en direction de Benjamin. Je ne peux pas admettre qu'elle touche à un seul cheveu de ce pauvre gamin. Je me saisis donc du balai de sorcière et me jette sur elle en hurlant à pleins poumons. Lorsqu'il voit la branche d'épinette s'élever dans l'air, couard, l'homme cornu se sauve en courant. Médusé, Sébastien Simoneau assiste à la scène sans esquisser le moindre geste.

Un horrible concert de croassements débute au moment où le balai de sorcière s'abat sur la forme noire. Une nuée de corneilles se matérialise sous mes yeux quand le morceau de tissu, vidé de toute substance, s'aplatit au sol. Effrayé, Benjamin tourne les talons et se met à courir. Les oiseaux se lancent à sa poursuite.

Les cris des corneilles sont assourdissants, or cela ne m'empêche pas de tenter de rattraper le petit. Je risque de me casser la figure, mais je cours à travers les sentiers sinueux de la forêt ancienne. Devant moi, je vois les corneilles plonger vers la minuscule silhouette de l'enfant. La lumière du croissant de lune à ses débuts me permet de me rendre compte que leur bec s'abat sur sa tête et sa nuque. Benjamin crie et pleure, mais cela n'éloigne pas les oiseaux. Je repère un éclat doré qui virevolte dans la nuit. Les oiseaux lui ont ravi son pendentif.

Mes deux pieds se prennent dans une racine proéminente. Je trébuche et m'affale tête première. Je déboule sans me protéger dans le sentier graveleux. Ma course s'arrête quand je me fracasse l'arrière du crâne et l'épaule droite contre une roche volumineuse. Désorienté, je ne distingue plus très bien le ciel de la terre, mais j'entends toujours le croassement des corneilles qui s'éloignent. En essayant de me relever, je ressens une douleur si intense dans le cou que j'en retombe à genoux. Je m'oblige à ramper, m'arrête pour reprendre mon souffle et m'accroche à un arbre pour me remettre debout.

Benjamin pousse un cri déchirant. Les oiseaux hurlent sauvagement. La tête me tourne, je me redresse et fais un pas, mais je n'arrive pas à retrouver mon équilibre. Une image me traverse l'esprit, des becs acérés qui déchirent la chair d'une toute petite main et en arrachent un doigt.

Je m'effondre.

21

Sainte-Catherine-de-la-Jacques-Cartier, 12 h 13

De gros yeux bleus me fixent quand je reprends connaissance. Je suis étendu sur le sol, une serviette froide et mouillée plaquée sur le front. Quand j'essaie de me redresser, Violette s'interpose et me suggère de me mouvoir tout doucement.

— C'était réel, ou pas? dis-je, la bouche pâteuse.

— C'était la triste réalité, j'en ai bien peur.

— C'est impossible.

Je roule sur le côté et prends appui sur mon bras pour me relever. Je m'étonne de ne pas ressentir de douleur, tout au plus une raideur au cou.

— J'ai tout vu à travers le cristal, m'apprend Violette en m'aidant à me remettre sur pied.

— Ce n'est pas sérieux…

— Après ce que vous venez de vivre, comment pouvez-vous toujours douter ?

— Toute cette histoire n'a aucun sens, dis-je en m'assoyant sur le fauteuil dont je suis tombé.

— Des milliards d'hommes croient en Dieu sans l'avoir jamais vu. Il existe des tonnes de témoignages qui relatent toutes sortes d'événements que les scientifiques n'arrivent pas à expliquer. L'intangible existe, Félix !

— Vous êtes en train de me dire que le petit Benjamin a été enlevé par une créature surnaturelle ?

— Ce que vous qualifiez de surnaturel est au contraire parfaitement naturel, rétorque Violette. Ce genre de chose existe et n'a guère besoin de votre consentement pour continuer à exister !

Buté, je secoue inlassablement la tête.

— Votre cerveau a organisé les milliers d'informations auxquelles vous avez été exposé depuis votre naissance et vous tenez la plupart d'entre elles pour vraies sans en avoir jamais fait l'expérience. Pourquoi refusez-vous de croire en ce qui vient de vous arriver ? Vous craignez peut-être qu'on vous prenne pour un fou ? Ou alors préférez-vous laisser aux autres le soin de départager le vrai du faux ?

Je me lève et, sans même demander

l'autorisation à la propriétaire des lieux, je quitte la pièce. J'ai besoin de voir la lumière du jour et de respirer un bon coup d'air frais. J'ai surtout besoin d'un peu de calme.

Coquelicot et Pleurote m'accueillent au salon en grognant. J'évite soigneusement de trop m'approcher d'eux et me dirige d'un pas légèrement chancelant vers la porte principale. Je sors dehors et un vent froid me cingle le visage. Mon humeur déjà sombre devient franchement noire quand je me rappelle que je n'ai pas ma voiture et que je suis tributaire de la bonne volonté de Violette.

La rouquine ne me laisse pas souffler et apparaît derrière moi quelques secondes plus tard. Elle tient ma montre et mon précieux téléphone dans sa main gauche et ses clés de voiture dans l'autre. Elle m'ordonne de monter à bord de son véhicule d'un furieux coup de menton. Soulagé, je m'exécute en silence.

Violette et moi n'échangeons pas un traître mot de tout le trajet. Quand sa voiture s'immobilise devant la porte du *Télégraphe de Québec*, elle tourne son captivant regard vers moi.

— Cette chose qui se cache dans la forêt ancienne est en fait un égrégore, lance-t-elle plutôt sèchement. Et il est très puissant !

— Un égrégore ? Mais qu'est-ce que c'est, encore ?

Mon scepticisme acharné met à rude épreuve la patience de Violette. Elle pousse un gros soupir avant de me répondre.

— C'est une entité créée par l'esprit humain, une manifestation de la puissance créatrice de la pensée. Lorsque plusieurs personnes s'unissent pour invoquer un égrégore, il peut devenir réel et prendre corps dans notre monde.

— Selon votre théorie, Ursula Shipton est un égrégore.

— C'est bien ce que je crois. À travers le cristal, nous avons assisté à un rituel de matérialisation tenu au cœur de la forêt ancienne. Le maître de cérémonie, l'homme qui arborait les cornes de bouc, a clairement demandé aux autres de lui décrire la mère Shipton. C'est une façon de lui faire prendre pied dans notre réalité.

— Mais cette femme est morte depuis plus de cinq cents ans !

— Cela n'a aucune importance ! s'emporte Violette en relâchant accidentellement le frein, ce qui a pour effet de faire tressauter la voiture. Ce n'est pas l'âme de la mère Shipton qui est invoquée, ici.

— En clair, nous ne sommes pas en présence de son fantôme.

— Vous y êtes, Félix ! L'égrégore de la mère

Shipton est une projection de ce que ces gens désirent qu'elle soit pour eux. Je soupçonne les instigateurs de cette folie d'avoir eu recours à un personnage légendaire dans l'espoir de frapper l'imaginaire de leurs compagnons et d'ainsi faciliter la matérialisation de l'égrégore.

— Je ne suis pas sûr de saisir toutes les subtilités de votre explication, dis-je en débouclant ma ceinture de sécurité.

— C'est sans importance. Il vous suffit de savoir que l'objet de votre enquête est une créature de l'esprit, un monstre d'énergies doté d'importants pouvoirs, dont les assauts peuvent être ressentis dans la réalité.

— À ma place, que feriez-vous ?

— J'essaierais de retrouver le petit Benjamin. Il est toujours vivant, j'en suis persuadée. Et j'agirais avec une extrême prudence !

— Mais je ne sais pas où il est !

— J'ai confiance en vous. Vous le retrouverez. Mais sachez ceci, pour éliminer un égrégore, il faut détruire tous les symboles qui l'évoquent.

Les nombreuses informations qui se bousculent dans ma tête m'empêchent de réfléchir convenablement. Je dois attacher toutes les ficelles pour y voir plus clair.

— Je tenterai tout pour mettre fin à cette folie.

Violette finit par sourire et me tend une petite carte. Je m'en saisis et la plonge dans la poche de mon manteau sans même y jeter un coup d'œil. La mine consternée qu'affiche la rouquine vaut son pesant d'or.

— Mes coordonnées se trouvent sur ce bout de carton, dit Violette, outrée.

— Je le savais, dis-je en descendant du véhicule. Moi aussi, j'ai un don !

***

Je n'entre au journal que pour demander à Julien de me rejoindre chez moi quand sa journée de boulot sera terminée. Il essaie de me cuisiner pour savoir pourquoi j'ai passé tant de temps avec Violette, mais je me défile en lui promettant de tout lui raconter plus tard.

— J'oubliais ! Tu devrais prévoir ce qu'il faut pour une excursion nocturne en forêt, lui dis-je en quittant son espace de travail.

Avant de repartir, je passe aussi par le bureau du patron pour lui dire que, en raison de ma nuit mouvementée devant la résidence pour personnes âgées de Stoneham, je rentre chez moi prendre un peu de repos.

Je retrouve mes quartiers avec une joie mêlée d'appréhension. Je suis toujours secoué par ce que je viens de vivre en compagnie de

Violette et je n'ai pas la force de faire face à une corneille rebelle ou à un balai marchant. Après avoir refermé la porte derrière moi et constaté que tout semble normal, j'appelle Troodie, mais elle ne vient pas. Sans prendre la peine d'enlever mes chaussures, je me dirige d'un pas décidé vers la petite pièce où je l'ai laissée ce matin.

Troodie est roulée en boule dans son lit. Ses jolis yeux sont ouverts, mais elle ne bouge pas une patte quand je m'agenouille auprès d'elle. J'ai beau lui gratter les oreilles, faire courir mes doigts le long de son dos et répéter sans arrêt son nom, elle ne bronche pas. Malgré son piteux état, je me décide à la prendre dans mes bras. Elle ne résiste pas, mais je ne peux m'empêcher de remarquer son manque de tonus. Ses pattes sont molles, sa tête dodeline de tous les côtés et elle a visiblement les paupières lourdes.

— Je sais que tu détestes aller chez le vétérinaire, mais…

Troodie me coupe la parole en miaulant faiblement. C'est un miaulement pitoyable, mais c'est mieux que rien. J'essaie de me convaincre qu'elle va mieux et je l'emmène jusqu'à ma chambre.

— Et si on dormait un peu ! lui dis-je en m'allongeant sur le lit. Peut-être que, tous les deux, on se sentira mieux après avoir piqué un petit roupillon.

Troodie se laisse mollement rouler de ma poitrine jusqu'au creux de mon épaule. Elle se pelotonne tout contre moi et nous nous endormons paisiblement.

22

Québec, 17 h 10

Ce sont les coups répétés que Julien frappe à ma porte qui me tirent d'un moment de repos sans rêves. J'émerge d'un sommeil profond, presque léthargique, et je mets du temps à reprendre mes esprits. Je finis par me lever très doucement pour ne pas déranger Troodie qui n'a apparemment rien entendu.

J'ouvre la porte et Julien, fidèle à son habitude, entre avant même que je m'efface devant lui. Sans s'excuser, il me bouscule au passage et jette le sac à dos qu'il transporte au beau milieu de la cuisine. Il se dirige tout droit vers le salon et se laisse choir sur mon canapé.

— Je veux tout savoir ! dit-il avec un entrain qui contraste terriblement avec mon état quasi catatonique.

Je sais que Julien ne manquera pas d'émettre

des réserves quand je vais lui confier mon expérience paranormale. Comme je n'ai pas envie qu'il me serve la même médecine que j'ai réservée à Violette, je préfère mettre les choses au clair.

— Je te raconte tout, mais je t'interdis de m'interrompre, dis-je en détachant bien les syllabes de chaque mot.

Julien connaît plusieurs chapitres de l'histoire qui m'occupe, mais je ne lui ai pas encore tout raconté. Tant pour lui que pour moi, je m'oblige à en faire le récit à partir du tout début. Je me remémore la battue au mont Wright, les confidences de ma compagne d'escalade, la découverte du doigt sectionné et du pendentif de l'enfant, les suppositions de Mireille quant à son sort. De retour chez moi, Troodie a un comportement étrange et une branche d'épinette est projetée contre ma fenêtre. J'ose même avouer à mon ami que j'ai ressenti une présence dans mon appartement. Le lendemain, Julien améliore pour moi la résolution d'une photo sur laquelle apparaît très nettement une main pâle et griffue. Nous retournons ensuite à Stoneham, notre appétit gargantuesque nous vaut de faire la rencontre de Mireille et de ses amis et je découvre dans la poubelle du *McDonald's* une serviette de table couverte de gribouillis insolites. C'est en quelque sorte ma première rencontre avec Ursula.

Après avoir été rabroué par Michel, je tente d'entrer en contact avec la mère de l'enfant disparu. J'échoue, mais on me confirme qu'elle est gravement malade. Le hasard fait en sorte que nous prenons ensuite Mireille en filature et que nous la suivons jusque chez elle, à Lac-Delage. C'est là que tout devient carrément dément.

— Juste d'y repenser, ça donne froid dans le dos, avoue Julien quand je lui rappelle ce dont nous avons été témoins. Je me demande ce qui est arrivé à cette pauvre fille enceinte.

— D'autant plus que nous savons maintenant que, selon toute vraisemblance, Mireille n'a pas tenté de l'empoisonner.

— Ça me mystifie complètement.

Je relate ensuite l'irruption incongrue de la corneille cachée dans le balai de sorcière, ma visite à la bibliothèque et le rêve étrange que j'y ai fait, la tête appuyée sur une montagne de livres de référence. Il y a ensuite Troodie terriblement mal en point, les dizaines de corneilles perchées sur le toit et la vieille dame qui se défenestre sans raison apparente en plein milieu de la nuit. Finalement, je raconte à mon ami l'étrange expérience que je viens de vivre en compagnie de Violette.

— Tu me jures que c'est la vérité ? s'exclame Julien quand je m'arrête enfin de bavasser.

— Je te raconte ce que j'ai la sensation d'avoir vécu. Quant à savoir si c'est la vérité, je ne peux pas en être sûr.

— Cette histoire d'égrégore, tu ne trouves pas que c'est un peu exagéré ?

— Ça l'est, mais je te signale qu'un enfant a disparu et qu'une vieille dame s'est jetée en bas du quatrième étage d'un édifice. Peut-on vraiment récuser en bloc ce que raconte Violette sous prétexte que c'est tiré par les cheveux ?

Julien réfléchit quelques instants. Après avoir fait le tour de la question, il finit par secouer la tête.

— L'enquête de la police avance, en tout cas, dit-il le plus simplement du monde.

L'affirmation de mon ami me fait comprendre que je néglige plusieurs aspects de l'histoire. Je suis à ce point obnubilé par le caractère ésotérique de l'affaire que j'en omets de rester à l'affût des développements de l'enquête menée par les forces de l'ordre. Il faut que je me ressaisisse si je ne veux pas que le rédacteur charge un journaliste chevronné de terminer le travail à ma place.

— Comme il refuse toujours de dire quoi que ce soit, reprend Julien, Sébastien Simoneau a été arrêté à sa sortie de l'hôpital. Les médecins ont cru pendant quelques heures que son mutisme était dû à un quelconque traumatisme, mais ce n'est pas le cas. S'il reste silencieux, c'est par entêtement, tout simplement. Les policiers sont maintenant convaincus que le beau-père de l'enfant est coupable de sa disparition. Terrible, non?

Je hoche la tête, même si je ne suis pas vraiment surpris que Simoneau soit soupçonné.

— Violette est persuadée que le petit est vivant, dis-je sur un ton un peu trop solennel.

— Elle a vu ça dans sa boule de cristal? ironise Julien.

Je ne relève pas le trait d'humour, car toute mon attention est tournée vers Troodie qui apparaît dans la pièce. Elle avance très lentement, renifle partout, mais elle semble enfin sortie de sa torpeur.

— Elle est vraiment amochée, la pauvre, remarque Julien en apercevant la chatte qui déambule au beau milieu du salon.

Son pelage est hirsute, elle a une drôle de démarche et ses vibrisses sont inégales. C'est stupide, mais je ne peux pas m'empêcher de me sentir coupable de son état. Une constatation saugrenue me passe par la tête; même si je tente par tous les moyens de l'endiguer, elle glisse malencontreusement de mon esprit à ma bouche.

— Si Ursula a pu faire cela à mon chat, je n'ose imaginer dans quel état se trouve Benjamin à l'heure qu'il est.

— Tu crois vraiment à tout cela, n'est-ce pas ? À cet égrégore et à la magie qui l'entoure ?

Pour toute réponse, je plonge mon regard dans celui de Julien. Je sais qu'il peut y lire la farouche détermination à résoudre cette affaire qui m'amine désormais.

23

Stoneham, 19 h 10

Avant que nous partions à l'aventure dans les sentiers du mont Wright, je demande à Julien, qui a pris le volant de ma voiture, de faire un petit détour. Mes chances de réussir sont minces, je ne sais trop ce que je peux espérer d'une telle audace, mais je suis fébrile quand je pénètre dans la résidence pour personnes âgées où le drame est survenu, la nuit dernière. Je me présente à la réception de l'établissement où une préposée et une infirmière bavardent ensemble. C'est l'infirmière qui m'accueille avec un sourire chaleureux. Nous nous saluons et elle s'enquiert aussitôt de la raison de ma visite.

— Je viens voir ma grand-tante Béatrice.

— Ah ! C'est pour madame Lessard. Vous êtes de la famille ? demande-t-elle malgré mon annonce pourtant évocatrice.

— Oui, je suis son petit-neveu.

— Les visiteurs doivent s'identifier, m'apprend la préposée.

Elle pousse vers moi une feuille rose sur laquelle je dois inscrire mon nom, puis signer. Je prends évidemment soin d'inscrire un faux nom sur le document que je lui redonne aussitôt.

— Madame Lessard est un peu confuse aujourd'hui, me dit l'infirmière avec une pointe de regret dans la voix. Les terribles événements d'hier y sont sans doute pour quelque chose.

— C'est justement la raison pour laquelle je suis ici. J'ai discuté aujourd'hui avec Bernadette et je sais que ce n'est pas facile pour tante Béa. Je m'inquiète un peu pour elle.

Je mens effrontément à la très gentille infirmière qui veille sur les vénérables pensionnaires de l'endroit.

— Elle a de la chance d'être aussi bien entourée, lance-t-elle en retrouvant sa bonne humeur.

Je me dis que les circonstances dramatiques qui viennent de troubler la quiétude de l'établissement justifient un brin de curiosité de ma part. Je crois même que ce serait presque louche si je ne posais aucune question.

— C'est un accident, n'est-ce pas ?

Ma question fait apparaître des interrogations dans les yeux de mon interlocutrice.

— Ne me dites pas que la mère de Michel s'est jetée d'elle-même par la fenêtre ! dis-je sur le ton de la confidence.

Avant de me répondre, l'infirmière hausse les épaules. À en juger par son expression, elle sait bien peu de choses sur les événements qui me préoccupent.

— Madame Ferron avait bien quelques petits ennuis de santé, mais elle gardait toute sa tête, précise la femme en baissant la voix. En raison d'une vilaine fracture à la hanche, elle se déplaçait de plus en plus difficilement. Je ne vois pas comment elle aurait pu fracasser cette fenêtre. Elle n'en avait tout simplement pas la force. En tout cas, ici, personne ne croit à la thèse du suicide.

L'infirmière réfute la possibilité que la vieille dame se soit enlevé la vie, mais elle semble réticente à admettre l'hypothèse d'un accident. Tout dans sa gestuelle trahit son malaise. Elle bat des paupières à une vitesse stupéfiante et se gratte frénétiquement la nuque.

— Elle a dû tomber, dis-je avec candeur.

— Vous êtes sérieux ? Vous croyez vraiment qu'une petite vieille qui pèse à peine un peu plus de cinquante kilos et qui se déplace à la vitesse d'une tortue peut faire exploser une fenêtre en tombant ?

Je me force à afficher une mine ahurie. Je me permets même de copier le jeu affecté des pires acteurs de téléromans en plaquant ma main sur ma bouche.

— Vous ne pensez tout de même pas que…

Sous l'œil inquisiteur de sa collègue, l'infirmière contourne le bureau pour me rejoindre. Elle me guide vers l'ascenseur et appuie sur le bouton d'appel.

— Je vous conduis auprès de votre tante. Évidemment, nous avons dû l'installer dans une autre chambre.

— Cela va de soi.

— Il y avait du verre partout dans la pièce, dit l'infirmière d'un air songeur.

Une expression mystérieuse peinte sur le visage, elle se tourne vers moi.

— Si le corps de madame Ferron a fait exploser la fenêtre en la percutant de l'intérieur, pourquoi les éclats de verre ne sont-ils pas tombés dehors ?

Je deviens nerveux quand les portes de l'ascenseur s'ouvrent devant nous. Je hausse les épaules parce que je ne connais pas la réponse à sa question.

— Votre grand-tante ne va pas très bien,

dit-elle quand l'appareil commence à monter. Elle a raconté aux policiers une histoire abracadabrante, un peu comme une enfant qui s'invente un monde imaginaire pour ne pas avoir à affronter la réalité. Je crains qu'elle ne commence à souffrir de démence. C'est regrettable, car, si quelqu'un est responsable de la mort de madame Ferron comme je le crois, nous ne le saurons jamais…

***

Béatrice Lessard est une vieille femme ronde comme une pomme. Ses joues roses, ses petits yeux espiègles, ses cheveux d'argent tressés et ses mains potelées font d'elle l'archétype de la grand-mère. Je ne suis pas spécialement scrupuleux, mais, quand je pénètre dans la chambre de cette brave femme, j'ai l'impression d'être le plus grand imposteur de la planète.

Elle est assise dans une chaise berçante qui fait face à un téléviseur. Elle porte de grosses pantoufles en fausse fourrure bleue et une robe de chambre zébrée. Immobile dans l'embrasure de la porte, je toussote dans l'espoir qu'elle remarque ma présence. Elle tourne aussitôt la tête vers moi et me sourit chaleureusement.

— Bonjour ! s'écrie-t-elle d'une voix flûtée.

J'ai prétendu être quelqu'un d'autre quand je me suis présenté à l'infirmière, mais je suis incapable de mentir à Béatrice.

— Je m'appelle Félix et j'aimerais discuter avec vous. Je peux entrer?

— Est-ce que je vous connais?

— Non.

— Ça ne fait rien. Je ne refuserai certainement pas un peu de compagnie! Je n'ai pas envie d'être toute seule, ce soir.

Je pénètre dans la pièce et Béatrice m'invite à m'asseoir sur le pied de son lit. Pendant que je m'exécute, la vieille dame attrape une télécommande et met son téléviseur en sourdine.

— J'aimerais que vous me racontiez ce qui s'est passé la nuit dernière, dis-je sans autre préambule.

— Bien des gens sont venus me voir à ce sujet, aujourd'hui, mais personne ne veut croire ce que je raconte. Il est vrai que ma mémoire n'est plus ce qu'elle était, mais je n'ai pas encore totalement perdu l'esprit.

— Je suis prêt à vous croire sur parole, madame Lessard. Je vous écoute.

La vieille femme me jauge du regard. Ma promesse la rend perplexe, mais elle se lance tout de même.

— Quelque chose a percuté la fenêtre de notre chambre au beau milieu de la nuit, me raconte-t-elle. Je ne me souviens plus quelle heure il était, mais ça m'a réveillée. J'ai voulu me lever pour aller voir de quoi il s'agissait, or Marie-Claire a insisté pour que je reste au lit. Elle avait mal à la hanche et je lui ai dit qu'elle était imprudente de se lever comme ça, toute seule, en pleine nuit; elle n'a rien voulu entendre. Je me suis tout de même redressée et j'ai plissé les yeux, mais il faisait si noir que je ne pouvais rien voir. C'est là que Marie-Claire a dit qu'elle voyait quelqu'un. Elle a dit qu'il y avait une vieille femme vêtue de noir de l'autre côté de la fenêtre…

— Au quatrième étage?

— C'est ce qu'elle a dit. Je lui ai répondu que c'était impossible, qu'elle devait apercevoir son propre reflet, mais elle a juré qu'il y avait quelqu'un et m'a demandé d'appeler l'infirmière. J'ai mis trop de temps à trouver le bouton d'urgence qui était coincé sous mes oreillers. Ça a encore cogné. Toc! Marie-Claire a dit que la vieille femme frappait contre la vitre avec un bout de bois tordu. Et c'est arrivé quand je lui ai demandé de se reculer…

J'ai peur d'être en train d'halluciner, d'avoir définitivement perdu contact avec la réalité. Béatrice me parle d'Ursula Shipton et d'un objet qui me rappelle le balai de sorcière qui se trouve toujours dans mon placard.

— Qu'est-ce qui est arrivé ?

Je suis si nerveux que j'ai du mal à déglutir.

— Vous ne me croirez pas, oppose la vieille dame en détournant le regard.

Je tends le bras vers elle. Mes doigts se posent sur le dos de sa main. Sa peau est douce et un peu froide.

— La fenêtre a volé en éclats, une forme noire s'est engouffrée par l'ouverture et a attrapé Marie-Claire par le cou ! Un instant plus tard, la pauvre était projetée vers l'extérieur. Elle n'a même pas crié. J'ai entendu le bruit qu'a fait son corps quand il s'est écrasé au sol. Un bruit sourd, étouffé par l'herbe gelée...

— Alors, vous l'avez vue, vous aussi ?

— Qui ça ?

— La femme en noir que voyait madame Ferron.

— Je n'ai pas vu son visage. Je n'ai aperçu que sa main.

C'est avec empressement que je sors mon iPhone de la poche de mon manteau. Mon mouvement brusque fait sursauter Béatrice, mais elle se calme quand je tourne vers elle l'écran lumineux de l'appareil. Je lui présente la photographie que j'ai prise lors de la battue au mont Wright, celle dont Julien a amélioré la résolution.

— Sa main ressemblait-elle à celle-ci ?

Béatrice semble subjuguée par la photo. Elle l'observe pendant plusieurs secondes et fronce les sourcils à quelques reprises. Elle me prend l'appareil des mains et l'approche de son visage. Sa luminescence donne une étrange couleur à la peau fripée de la vieille dame.

— Peut-être bien, finit-elle par répondre. Je ne peux pas en être sûre. Il faisait très noir et mes yeux sont moins bons qu'avant…

— Ça ne fait rien, dis-je en reprenant mon téléphone.

— Alors, vous me prenez pour une vieille folle, vous aussi ?

— Pas du tout, je vous assure !

— Vous savez, je ne me rappelle pas ce qu'on m'a servi pour souper ce soir, mais ce qui s'est passé cette nuit-là restera gravé dans ma mémoire jusqu'à la fin de mes jours.

— Je n'en doute pas, mais dites-moi, madame Ferron avait-elle un comportement bizarre, avant sa mort ?

— Je ne me souviens de rien d'étrange. C'était une femme plutôt tranquille. Comme tous les vieillards, elle avait sa routine et n'en dérogeait jamais.

— Est-ce que son fils Michel venait souvent lui rendre visite ?

— Je crois qu'il venait tous les dimanches, mais je ne pourrais pas le jurer. On perd la notion du temps quand on ne fait rien. Ici, tous les jours se ressemblent.

Les propos de la vieille dame sont empreints de mélancolie et cela me chagrine, mais Julien m'attend dans la voiture devant la résidence et, comme j'espère toujours retrouver le petit Benjamin vivant, je n'ai pas le loisir de m'attarder. Je prends congé de Béatrice en prétextant que le devoir m'appelle, ce qui n'est pas tout à fait faux.

— Je comprends, dit-elle quand je passe entre elle et le téléviseur. J'espère que vous reviendrez me voir… monsieur… C'est bête, je ne me souviens plus de votre prénom.

— C'est peut-être mieux comme ça.

Je m'apprête à sortir de la chambre, mais Béatrice me retient en attrapant mon bras.

— J'oubliais ! Marie-Claire m'a déjà dit que son fils voulait qu'elle quitte la résidence. Je ne sais plus très bien où il voulait l'emmener, mais je me rappelle que cette perspective n'enchantait pas sa mère. Je dirais même que cette idée l'effrayait.

24

Parc de la forêt ancienne, 20 h 37

Nous avons préféré garer la voiture en retrait de l'entrée du parc pour ne pas attirer l'attention. Emmitouflés dans d'épais manteaux, armés de lampes de poche et munis de nos meilleures chaussures de marche, Julien et moi nous élançons sans hésiter sur les sentiers de la montagne. Le temps est froid, mais le ciel est clair. La lune est à peine visible ; sa lumière évanescente éclaire pourtant notre chemin.

Nous marchons un long moment en silence. Si Julien s'abstient de jacasser, c'est qu'il craint que nous ne soyons repérés par les gens qui habitent les environs de la montagne. Quant à moi, ce sont les propos de la vieille Béatrice qui me rendent muet. Je ne peux m'empêcher de craindre pour ma sécurité. Il m'est impossible de ne pas faire le parallèle entre les instants qui ont précédé la mort de Marie-Claire Ferron et les événements qui sont survenus chez moi, la nuit précédente, vers minuit treize.

J'ai escaladé le mont Wright à quelques reprises et j'ai toujours apprécié l'escapade, mais, ce soir, la forêt me paraît tout simplement lugubre. Les arbres dégarnis, les amas de feuilles mortes, les zones d'ombre et l'odeur de terre humide qui me monte au nez rendent l'endroit sinistre. J'ai l'impression d'être malgré moi le figurant d'un film d'horreur beaucoup trop réaliste.

La montée est pénible. Au bout d'un moment, Julien se met à parler de tout et de rien, mais ses propos sont saccadés, dénotant son essoufflement. Ce qu'il raconte ne m'intéresse pas vraiment, mais je me garde bien de le faire taire, car le son de sa voix est tout de même rassurant.

Nous mettons près d'une heure à rejoindre l'intersection dépassée lors de la battue, où j'avais voulu m'engager dans la voie la moins accueillante. Même s'il fait noir, je reconnais aisément l'endroit, car c'est là que la forêt cède un peu le pas aux rochers de la montagne. En fermant les yeux une seconde, je suis happé par le souvenir de la transe que j'ai vécue dans la maison de Violette. C'est en empruntant cet embranchement rocailleux que je me suis blessé et c'est au bout de ce chemin que j'ai surpris le rassemblement des disciples du bouc.

— Il faut aller par là, dis-je à Julien.

— Ça semble plutôt cahoteux.

— Tu as raison. C'est très dangereux. Nous devrons redoubler de prudence.

— Je passe devant.

— Non, je connais le chemin.

— Je m'en fiche ! Je suis plus athlétique et surtout beaucoup plus habile que toi.

Les arguments de Julien sont un peu blessants, mais je sais qu'il a raison et je m'incline sans rouspéter. Le grand gaillard me dépasse et pose le pied sur la première roche. Je peste intérieurement en le voyant bondir d'une pierre à l'autre sans la moindre difficulté.

Je m'engage à sa suite dans le sentier en m'agrippant aux minces troncs des arbres qui ont réussi à pousser malgré le relief fort accidenté de l'endroit. Julien avance à une vitesse prodigieuse et il a presque disparu quand j'arrive à l'endroit où, dans ma transe, je me suis blessé. Je tâtonne un peu du bout du pied ; le sol me semble solide et je me risque en m'accrochant à la paroi rocheuse. Quelques cailloux glissent, mais je réussis tout de même à progresser. Le ululement d'un hibou me fait sursauter quand je débouche enfin au bout du sentier casse-cou. Julien me tend la main et m'aide à regagner la terre ferme.

— C'est là, dis-je en pointant l'immense rocher devant lequel nous nous trouvons.

— C'est là quoi ? me demande Julien.

— L'homme cornu... le petit Benjamin...

Julien fouille dans son sac à dos et en sort une lampe de poche. Il balaie les alentours de son puissant faisceau lumineux et s'attarde à étudier chaque centimètre de la façade du grand rocher. Je m'éloigne un peu de lui en direction de l'endroit où j'ai vu brûler un feu de camp. Julien et son sabre de lumière me rejoignent presque aussitôt. Je m'agenouille et me mets à retourner les feuilles mortes qui jonchent le sol.

— Tu fais quoi, là ? s'exclame Julien. Tu cherches des truffes ?

— J'essaie de me prouver que je ne suis pas tout à fait dingue.

— C'est une drôle de façon de le vérifier.

— Dans ma vision, il y avait un feu, ici.

Au moment où je prononce ces mots, mes mains entrent en contact avec une substance sèche et floconneuse. Quand je regarde mes paumes, je constate qu'elles sont tachées de suie et couvertes de cendre.

— Ce que j'ai vu était réel !

— Alors, cette Violette possède vraiment le don de prophétie ! s'étonne Julien.

Quelque chose dans l'exclamation de mon ami me rend perplexe. Je ne lui réponds pas tout de suite, car j'essaie de tout mettre en ordre dans mon esprit. Les choses s'éclaircissent d'un seul coup, comme si je venais d'être frappé par la foudre.

— Il n'est pas question du futur, dis-je en essuyant mes mains dans les feuilles mortes.

— Qu'est-ce que tu veux dire ?

Julien semble complètement perdu. Je me relève et scrute l'endroit du regard. Quand je repense à tous les événements qui concernent Ursula, rien n'a de sens, à moins qu'il y ait rupture dans le temps.

— Quand j'ai pénétré dans la maison voisine de celle de Mireille, la mère Shipton m'a parlé.

— Rappelle-moi ce qu'elle t'a dit…

— Elle a dit que nous nous connaissions déjà. Je n'avais pourtant jamais entendu que son nom.

— Ensuite ?

— J'ai fait ce rêve étrange à l'université, celui au cours duquel j'ai discuté avec la mère Shipton. Dans ce songe, elle m'a dit que quelqu'un lui avait déjà parlé de moi. Elle m'a aussi demandé de lui rappeler mon nom.

— Tu as fait ce rêve après t'être introduit dans la maison où Ursula se cache, mais c'est comme s'il s'était passé avant.

— Exactement!

— Continue!

— Violette est venue me retrouver au journal, dis-je sur un ton monocorde. Quand elle a pris ma main dans la sienne, j'ai vu Ursula s'en prendre à l'enfant. Elle le traînait contre son gré dans un endroit entièrement noir.

— Finalement, tu as vu Simoneau livrer l'enfant à un homme cornu, donc, à la mère Shipton…

— Logiquement, les événements de cette dernière vision se seraient produits avant ceux de la précédente.

Julien éteint sa lampe de poche et enfonce la tête dans les épaules. Il est d'un naturel très calme, mais l'endroit et les circonstances font monter son niveau de stress d'un cran.

— Crois-tu que la mère Shipton se cache vraiment dans cette forêt? Je veux dire: crois-tu qu'elle s'y trouve cette nuit?

Le bruit d'une branche qui se casse résonne à travers les bois et provoque l'envolée de dizaines d'oiseaux. Leurs croassements me rappellent de très mauvais souvenirs.

— Je crois que tu as ta réponse, dis-je en me retournant vers le rocher au sommet duquel les corneilles sont perchées. Ces oiseaux qui volent en pleine nuit en sont une preuve de plus !

25

Parc de la forêt ancienne, 22 h 17

Quelqu'un marche derrière nous. Je fais volte-face et scrute les alentours, mais ne vois rien ni personne. Julien et moi sommes dos à dos, prêts à bondir si jamais quelqu'un se manifeste. Nous nous savons repérés et Julien n'hésite pas à rallumer sa lampe de poche.

— Y a quelqu'un? crie-t-il en balayant les environs de son faisceau lumineux.

L'écho de la montagne est le seul à lui répondre. Nous tournons lentement sur nous-mêmes et nous approchons du rocher. Les circonstances me rendent très nerveux, mais je n'ai pas peur. J'ose même crier à mon tour.

— Benjamin, où es-tu?

Les corneilles recommencent à croasser. Elles crient tant que j'ai l'impression qu'elles essaient de nous chasser de la montagne. Leurs cris nous empêchent même d'entendre ce qui se passe dans la forêt. Ce qui nous espionne se rapproche peut-être et nous n'en savons rien.

Une masse sombre apparaît entre les troncs d'arbres, tout juste devant nous. Julien et moi l'apercevons en même temps et cela nous fait sursauter. Sans même réfléchir aux conséquences potentielles de ma témérité, je fonce tout droit vers elle. Elle disparaît à une vitesse effarante, mais je ne m'arrête pas pour autant.

Je cours dans la forêt ancienne sans être sûr de ce que je poursuis et je m'éloigne de Julien et du rocher en un rien de temps. Je ne vois pas à plus de trois mètres devant moi, mais quelque chose me pousse à continuer. Après avoir contourné une épinette, je m'arrête subitement. Julien crie mon nom, mais je ne lui réponds pas. Mon cœur bat à toute vitesse, j'ai les poings serrés et je darde des regards dans toutes les directions. Je repère à nouveau la forme noire qui grimpe vers le sommet de la montagne en zigzaguant entre les aspérités du sentier. Quand je m'élance derrière elle, je n'ai plus qu'une seule idée en tête, réduire la mère Shipton en bouillie.

Mes pieds butent contre une roche et je tombe à genoux dans la terre battue. Je me relève sans me préoccuper de la douleur que je ressens et continue à grimper. La cape de la créature volette dans l'air et cela me donne l'impression qu'elle glisse sans toucher le sol. Elle bifurque subitement vers la droite et disparaît derrière un massif de bouleaux. Je m'arrête un instant dans l'espoir de la voir ressurgir, mais je crains d'avoir perdu sa trace. À bout de souffle, je me mets à marcher. Autour de moi, tous les arbres sont morts et leurs branches brisées gisent sur le sol. J'essaie de ne pas faire de bruit, mais n'y arrive pas. Le branchage est très sec et il se casse sous mes pieds.

— Qui que vous soyez, montrez-vous !

Mon cri se perd dans la forêt, mais, bien que je me sois éloigné de lui, Julien l'entend et me rend mon appel. Je ne veux pas qu'il s'inquiète pour moi et c'est pourquoi j'hésite à crier de nouveau. La réapparition subite de la forme noire de l'autre côté des arbres morts m'oblige à reprendre ma course effrénée sans plus penser à mon ami.

Je bondis à travers le massif et mets peu de temps à le traverser. Mon élan effraie la forme noire qui s'engage aussitôt dans un sentier orienté vers la base de la montagne. La pente me permet de gagner de la vitesse, mais je crains de trébucher aussi durement que durant ma transe. Par prudence, je ralentis un peu, sans toutefois arrêter de courir. La cape noire de mon antagoniste flotte dans l'air ; j'ai l'impression que je n'ai qu'à tendre la main pour l'attraper. Un instant plus tard, comme si elle n'était aucunement soumise aux lois de la nature, la forme noire me distance et disparaît dans un banc de brouillard.

Je m'arrête brusquement et, appuyé contre un arbre, tente de reprendre mon souffle. En levant les yeux au ciel, je vois le croissant de lune qui se cache derrière un fin voile nuageux. Curieusement, le brouillard semble avancer vers moi. Il rase le sol et ses volutes évoquent des tentacules spectraux qui s'apprêtent à me saisir les chevilles. L'atmosphère devient subitement humide. Dans l'air de la nuit, je perçois l'odeur de l'eau mélangée à celle de la terre sablonneuse.

Le brouillard est à mes pieds. Je ne devine plus que la cime des arbres qui en émerge. Refusant de m'avouer vaincu, je m'enfonce dans la brume laiteuse qui devient chaque seconde de plus en plus opaque.

— Où êtes-vous, mère Shipton ? dis-je entre mes mâchoires serrées.

Je pénètre dans un monde de grisaille où tout prend une forme inquiétante. Les arbres me paraissent plus noueux, les roches ressemblent à des créatures accroupies et les branches nues des buissons tordus me font penser à des méduses pétrifiées. Dès que j'avance, je n'entends plus rien, sinon le clapotis de l'eau.

— Je suis certainement tout près d'une source…

La douce mélodie de l'eau m'attire aussi sûrement que le chant des sirènes séduit les marins. Je fais de petits pas, surtout soucieux de ne pas plonger mes pieds dans l'eau glacée. Je plisse les yeux dans l'espoir de découvrir le ruisselet, mais aussi de repérer une nouvelle fois la forme noire qui ne cesse de m'échapper.

Le bout de mon pied cogne contre un objet de bonne dimension, mais étonnamment léger. Je sais que je me tiens tout près de la source quand un éclaboussement mouille le bas de mon pantalon. Je m'accroupis et tâtonne à travers le brouillard pour retrouver l'obstacle. Je ne vois pas grand-chose, mais j'effleure du bout des doigts un objet plutôt rond qui a la texture de la pierre. Quand je le retire de l'eau, je constate que la chose est vraiment très légère. Je l'approche de mon visage avec une certaine appréhension.

Je tiens entre mes mains une roche qui a la forme d'un ourson en peluche. Sa surface est rugueuse et couverte de petits pics. Perplexe, je le tourne dans tous les sens. Rien ne manque à cet ourson insolite. Ses pattes, son corps dodu et sa bouille sympathique ont été reproduits dans la pierre.

Le brouillard se dissipe un peu, mais l'humidité qui règne sur les lieux me donne froid. Des gouttes d'eau glissent de la surface de l'ourson jusqu'à mes doigts glacés. Je serre la peluche sous mon bras et décide de longer le ruisseau pour remonter vers sa source. Le bruit de l'eau qui cascade gagne en intensité à mesure que j'avance. Je marche très lentement, mais ne mets que quelques minutes à rejoindre la source.

De la vapeur en suspension dans l'air remplace l'épais brouillard à travers lequel je me suis aventuré. Je me tiens devant une paroi rocheuse de plusieurs mètres de hauteur. Quelques filets d'eau s'écoulent du sommet. La base est envahie par la mousse. De vieux arbres entourent la cascade et plongent leurs racines dans le bassin qui s'est formé au point de chute de l'eau. L'endroit, baigné par la lumière bleutée de la lune, est tout simplement magnifique. Je me croirais dans un rêve.

Deux objets sont suspendus par un bout de corde à une branche qui surplombe la chute. Le premier est long et mince et l'une de ses extrémités est recourbée. Le second est beaucoup plus gros et semble creux. Comme je ne les distingue pas très bien de l'endroit où je me trouve et qu'il n'y a pas d'autres moyens de les atteindre, je me décide à descendre dans le bassin. Les pierres sur lesquelles je pose les pieds sont couvertes d'algues. L'eau est glacée, je pourrais glisser à tout moment, mais je m'entête à avancer.

Je me tiens si près de la cascade que je suis trempé des pieds à la tête. Je chasse l'eau de mes yeux en prenant garde de ne pas laisser tomber l'ourson que je transporte.

Je lève la tête et mon regard se pose sur ce qu'on a accroché à l'arbre.

— On dirait une canne, dis-je en l'effleurant.

Le deuxième objet ressemble à un panier en osier de grande dimension. Comme la canne, il se balance tout doucement au bout d'une corde. Je tends ma main libre pour le toucher. À ma grande stupéfaction, il est également fait de pierre.

26

Parc de la forêt ancienne, 23 h 41

Je retourne sur la berge du bassin après avoir photographié les objets suspendus à l'arbre. Malgré l'obscurité et le brouillard qui règnent sur l'endroit, je suis convaincu de n'avoir jamais visité cette partie de la forêt. Bien que je sois glacé jusqu'aux os et que mes chaussures soient trempées, je contourne la cascade et longe la paroi rocheuse qui s'éloigne du corps de la montagne. Cette partie de la forêt est beaucoup plus dense que celle que je connais. Je comprends que ma poursuite de la forme noire m'a amené sur l'autre versant du mont Wright.

Le brouillard se dissipe à mesure que je m'éloigne de la cascade. Les nuages qui tamisaient la lumière de la lune ont quitté le ciel et je vois un peu mieux autour de moi. Mon ourson de pierre dans les mains, j'avance à pas de loup.

Je me fige sur place en apercevant, quelques mètres devant moi, une masse informe qui semble prostrée sur la terre. Je soulève mon étonnante peluche au-dessus de mon épaule de façon à pouvoir m'en servir comme arme et je continue à avancer le plus silencieusement possible. À ma grande surprise, la chose se met à bouger, mais redevient rapidement immobile. Je n'ose pas croire que je me tiens tout près de la forme noire que j'ai poursuivie aux quatre coins de la forêt ancienne. La personne qui se cache sous cette cape peut-elle avoir renoncé à fuir ? Se serait-elle blessée ?

— Qui êtes-vous ? dis-je d'une voix mal assurée.

Je perçois un nouveau mouvement et entends un étrange frottement. C'est un peu comme si la chose cachée sous ce bout de tissu le grattait de l'intérieur dans l'espoir de le déchirer.

— Inutile de vous cacher. Je vous tiens !

Je me résigne à abaisser l'ourson et tends la main droite vers le tissu. Mes doigts se referment sur un pan de la cape et d'un violent mouvement, je la retire pour dévoiler ce qui se cache en dessous. Je tombe à la renverse quand des dizaines de corneilles s'envolent en criant. Les battements de leurs ailes fouettent l'air humide et leurs croassements assourdissants me percent presque les tympans. Je me relève aussitôt, mais je dois me jeter à plat ventre quand je comprends que les oiseaux piquent maintenant vers moi comme autant de petits avions de guerre. Je roule sur moi-même et un bec s'enfonce dans la chair de mon épaule. Je me mets à crier et à battre des bras pour les chasser, mais les corneilles ne s'arrêtent pas. Certaines se posent sur moi et me picorent douloureusement.

Je roule sur moi-même à plusieurs reprises, mais ne parviens pas à me soustraire aux becs acérés des oiseaux. Je rampe sur le sol, rue comme une véritable bête et me plaque contre la paroi de pierre dans l'espoir d'écraser quelques-uns des oiseaux. Je ne sais plus très bien où se trouvent le ciel et la terre, je me débats comme un diable dans l'eau bénite. C'est alors que la partie supérieure de mon corps s'enfonce dans un trou. L'instinct de survie me pousse à m'y laisser glisser, même si je crains qu'il ne s'agisse du repaire d'un animal sauvage.

L'endroit est exigu et je n'y vois absolument rien. Ma cachette de fortune est plongée dans le noir et il y fait affreusement froid, mais j'ai au moins réussi à échapper aux oiseaux. Je me contorsionne dans l'espoir d'atteindre mon téléphone, qui se trouve dans la poche intérieure de mon manteau. Je soupire quand mes doigts se referment sur l'appareil. Quand son écran s'illumine, je peux voir un peu mieux l'endroit où je me trouve. Après quelques secondes, je comprends que je ne suis pas dans un terrier, mais bien à l'entrée d'une caverne. Pendant un instant, j'envisage de reculer vers l'extérieur, mais le croassement des corneilles m'en dissuade. Mon téléphone bien en main, je me décide à ramper dans les profondeurs de la montagne.

Le tunnel dans lequel je m'enfonce s'élargit rapidement. Je peux enfin m'y agenouiller et je m'arrête pour envoyer un texto à Julien. Je lui ai faussé compagnie depuis plusieurs minutes et il doit être fort inquiet. *Tout va bien. J'ai découvert quelque chose. Rendez-vous à la voiture.*

Je décide néanmoins de poursuivre mon exploration de la caverne. Grâce à la lumière qu'émet mon téléphone, je réussis à y voir quelque chose. J'avance très lentement et inspecte minutieusement les parois de la galerie.

— Pas de doute, c'est une formation naturelle, dis-je tout haut.

Un bruissement me surprend pendant que j'observe les courtes stalactites qui descendent de la voûte de calcaire. Je crains d'avoir perturbé le sommeil d'une bande de chauves-souris et tourne l'écran lumineux vers le fond de la caverne. Ce que j'y découvre est bien plus étonnant que des chiroptères assoupis. C'est le corps à moitié nu du petit Benjamin.

***

Je me rue littéralement sur le garçon. Couvert d'un vulgaire morceau de jute, il est étendu sur une couche de paille. Ses paupières sont fermées, son visage est couvert de saletés et sa main gauche est emmaillotée dans un chiffon taché de sang.

— Benjamin… dis-je dans un murmure.

Le petit est disparu depuis plusieurs jours et mes doigts tremblent quand je les approche de son petit corps. Je crains que sa peau soit froide. Froide comme la mort.

— Benjamin !

L'enfant est frigorifié, mais il n'y a pas de doute, il est bien vivant. Sa chair est toujours souple et même un peu moite. C'est après lui avoir touché que je constate qu'une respiration régulière soulève sa poitrine. J'essaie de réveiller le petit, mais n'y arrive pas. Il est peut-être en état d'hypothermie, ou tout simplement inconscient. Sans plus réfléchir, j'attrape la rêche couverture qui le recouvre et emmitoufle le garçon comme un nouveau-né. Il ne bronche même pas quand je le prends dans mes bras. Tout près de sa couche, je remarque un bol de faïence rempli d'un liquide ambré, ainsi qu'une tasse à l'anse cassée. Je me penche pour renifler le contenu du bol. J'y détecte une odeur sucrée et épicée. J'attrape la tasse, y recueille un peu de liquide et, même si je risque de renverser tout son contenu en sortant de la forêt, je décide de l'emporter avec moi. Sans se réveiller, le garçonnet enfouit sa tête dans mon cou. C'est accrochés l'un à l'autre que nous quittons la caverne.

27

Stoneham, 6 h 17

C'est le petit matin quand Julien et moi sommes enfin autorisés à quitter le poste de police de Stoneham, où nous nous sommes immédiatement rendus après avoir retrouvé Benjamin Leblanc. Évidemment, des ambulanciers ont emmené le garçonnet à l'hôpital et les policiers chargés de l'enquête relative à sa disparition ont été appelés au beau milieu de la nuit. Ils ont passé les dernières heures à nous poser mille et une questions. Le plus coriace d'entre eux, l'inspecteur Constantin Lorrain, un homme maigre au corps musculeux et au visage impassible, n'apprécie vraisemblablement pas qu'un journaliste se mêle de son enquête. Maintenant qu'il est convaincu que nous n'avons rien à voir avec l'enlèvement du garçon, il nous permet de rentrer chez nous pour prendre un peu de repos. Je suis harassé quand je monte à bord de ma voiture, mais je prends tout de même le temps de consulter mes courriels. Un message du rédacteur en chef m'apprend qu'il est en rogne parce qu'il n'a pas reçu avant l'heure de tombée le papier que je lui avais promis.

Pendant que nous faisons route vers Québec, Julien me force à répéter ce que je viens de raconter aux policiers. Quand je me tais, il reste silencieux. Perdu dans ses pensées, il n'ajoute pas un mot de tout le trajet. Il semble même soulagé quand je le dépose devant chez lui quelques minutes plus tard. Avant de descendre de la voiture, il consent tout de même à soumettre au laboratoire les quelques gouttes de liquide qu'il reste dans la tasse que j'ai trouvée au fond de la caverne. Il s'agit sans doute du même breuvage que Mireille a donné à sa nièce, mais je préfère en avoir le cœur net.

Même si je suis immensément heureux d'avoir retrouvé vivant le petit Benjamin, je rentre chez moi en traînant les pieds. Je suis sale, mes vêtements sont encore humides et ma peau démange. Je ne rêve que de prendre une douche et de dormir quelques heures. Je referme la porte de mon appartement derrière moi en réprimant une intense envie de crier quand je constate que ma chatte se tient immobile devant la porte du placard. Je suis incapable de ne pas la gronder.

— Qu'est-ce que tu fais là ? dis-je en prenant une grosse voix.

Je suis soulagé quand Troodie tourne la tête vers moi. Mon ton menaçant la force à remarquer ma présence et elle s'approche enfin en se dandinant paresseusement. La sonnerie de mon téléphone interrompt son mouvement. Je suis tenté de ne pas répondre et de passer tout de suite sous la douche, mais je me raisonne et sors l'appareil de ma poche. Je constate au passage que j'ai raté pas moins de quinze appels. Je ne me souviens pas d'avoir entendu sonner, mais il est vrai que la nuit a été mouvementée.

— C'est Rebecca du *Télégraphe*. Dites donc, vous êtes plutôt difficile à joindre !

— Il est six heures du matin, Rebecca.

— Je sais très bien quelle heure il est. Je termine mon quart de travail dans quelques minutes.

— Vous ne m'appelez certainement pas pour me dire ça…

— En effet. J'ai plusieurs messages pour vous.

— Je vous écoute, dis-je en attrapant un bout de papier et un crayon sur le comptoir.

— En fait, c'est toujours le même message, mais si cette femme n'a pas téléphoné toutes les quinze minutes pour dire qu'il était urgent qu'elle vous voie, elle ne l'a pas fait une seule fois.

— S'il vous plaît, venez-en au fait.

Sans que je sache trop pourquoi, mes relations avec Rebecca n'ont jamais été très harmonieuses. La nuit mouvementée que je viens de vivre ne me rend pas spécialement patient et ma collègue fait les frais de mon humeur cassante. Elle soupire bruyamment à l'autre bout du fil.

— Il s'agit de Bernadette Beaulieu. Elle insiste pour que vous vous rendiez chez elle dès que possible ; elle a refusé de me laisser son numéro de téléphone.

Rebecca me transmet l'adresse de Bernadette et n'attend pas que je la remercie avant de raccrocher. Je n'en ai pas du tout envie, mais je vais devoir sortir à nouveau. J'inspecte mes vêtements d'un rapide coup d'œil pour constater qu'ils sont dans un état lamentable. Si ce n'était qu'une question d'apparence, je ne m'en ferais pas trop, mais, comme je suis toujours transi de froid, je prends deux minutes pour me changer et me passer un peu d'eau sur le visage.

— Je ne sais pas quand je vais revenir, Troodie, dis-je en traversant mon appartement pour regagner la sortie.

Je m'arrête subitement devant le placard. Les

paroles de Violette me reviennent en mémoire : « Pour éliminer un égrégore, il faut détruire tous les symboles qui l'évoquent. »

Une partie de moi doute toujours de l'existence de la mère Shipton et je ne suis absolument pas convaincu qu'elle a projeté le balai de sorcière contre ma fenêtre, mais j'attrape tout de même la branche d'épinette pour l'emporter.

***

Bernadette est l'heureuse propriétaire d'une maison située aux confins de la municipalité de Stoneham. Pour y accéder, je dois rouler pendant de longues minutes sur un chemin de terre et m'enfoncer dans les profondeurs de la forêt laurentienne. La résidence rustique est faite de bois, son toit est en tôle rouge et des volutes de fumée grise s'échappent de sa cheminée de pierres. Une galerie fait toute sa façade ; quelques marches mènent à l'entrée principale. La porte s'ouvre avant même que j'aie garé ma voiture et Bernadette apparaît aussitôt sur le seuil. Elle semble en proie à une vive excitation.

— Monsieur Saint-Clair, s'exclame-t-elle en venant à ma rencontre, il ne faut pas rester dehors. Entrez vite !

La femme m'attrape par le bras et me remorque littéralement à l'intérieur de la maison. Elle referme brusquement la porte et me pousse vers la cuisine. L'odeur du café fraîchement moulu flotte jusqu'à mes narines et je donnerais tout ce que j'ai – sauf mon téléphone ! – pour en avoir une tasse entre les mains.

— Michel est venu ici, m'apprend-elle sans reprendre son souffle.

— Quand ça ?

— Cette nuit. À trois heures du matin.

— Que voulait-il ?

— Il a affirmé que vous aviez retrouvé le petit Benjamin et que votre irruption dans nos vies menaçait de tout faire échouer.

— Je ne sais pas vraiment à qui ou à quoi je m'oppose, mais j'avoue que c'est tout ce que je souhaite.

— Vous avez vraiment retrouvé l'enfant ?

— Oui, il y a quelques heures à peine. Je n'ai d'ailleurs pas fermé l'œil de la nuit.

— Comment va-t-il ?

— Il était inconscient, mais je crois que ça ira.

— Vous avez prévenu la police, n'est-ce pas ?

— Il le fallait bien ! Je n'allais tout de même pas l'enlever à mon tour et le cacher chez moi !

Bernadette plaque sa main devant sa bouche.

Elle semble la proie d'une vive émotion et, comme elle tarde à m'offrir un café, mon humeur déjà sombre devient franchement noire.

— Allez-vous cesser de faire du mystère et me dire enfin ce qui se passe dans ce village?

Bernadette se force à se ressaisir. Elle secoue la tête et joint les mains comme si elle s'apprêtait à faire une prière.

— Michel ne l'admettra jamais, mais il est maintenant soumis à la créature qu'il a créée, m'explique-t-elle. C'est la mère Shipton qui décide de son destin, désormais.

— Comment est-ce possible?

— Mais je n'en sais rien, moi! Je ne comprends rien à cette magie.

— C'est une secte, n'est-ce pas?

Bernadette est horrifiée par mes propos et se signe à trois reprises.

— Mais pas du tout! s'écrie-t-elle. Je suis une fervente catholique.

— Et qu'en est-il de Michel?

— Il ne fait peut-être pas partie de l'Église, mais je vous assure qu'il n'appartient à aucune secte. En fait, il est bouddhiste.

Je n'arrive pas à cacher ma surprise. Les adeptes du bouddhisme sont très nombreux dans d'autres parties du monde, mais ils ne sont pas légion par ici.

— Vous êtes sérieuse?

— Absolument. Il s'est converti à cette religion il y a plusieurs années, après avoir fait un long voyage au Tibet.

— Depuis quand les bouddhistes invoquent-ils le fantôme d'une vieille sorcière anglaise morte depuis plusieurs siècles?

— Je vois que vous avez fait vos devoirs, monsieur Saint-Clair, rétorque Bernadette. Vous savez qui est Ursula Shipton. Quoi qu'il en soit, je ne vous ai pas demandé de me rendre visite pour discuter religion. L'heure est grave et je crains maintenant pour tous ceux qui ont été assez fous pour se fier aux promesses de la mère Shipton.

— Je n'arrive pas à croire qu'elle soit réelle.

— Comment pouvez-vous en douter? N'avez-vous pas eu suffisamment de preuves?

Il est vrai que les derniers jours ont été riches en émotions et en rebondissements. Mais une partie de moi persiste à penser que la mère Shipton n'est qu'une chimère et que quelqu'un se cache sous sa cape pour donner l'illusion qu'elle existe vraiment. Après tout, je n'ai vu son visage qu'en rêve.

— Michel vous a-t-il menacée?

— Il m'a sommée de tout faire pour que vous cessiez de vous mêler de ses affaires, m'annonce la femme. Il a aussi dit que, si je réussissais à vous dissuader de mener votre enquête, il ordonnerait à la mère Shipton de me libérer de mon serment.

— Votre serment ?

Bernadette baisse les yeux. Ses joues s'empourprent, elle pince les lèvres et se met à toussoter. Il est manifeste qu'elle a honte de ce qu'elle s'apprête à me révéler.

— Nous avons tous promis de livrer à la mère Shipton quelque chose que nous aimons profondément, dit-elle dans un souffle. En échange, Ursula doit réaliser notre vœu le plus cher. Pour ma part, je n'y crois plus…

— Que lui avez-vous promis ?

Le regard de Bernadette glisse jusqu'à un bol de céramique qui se trouve au sol, tout près du garde-manger. Au fond, je remarque quelques grains de nourriture pour animal.

— Je lui ai donné mes trois chats, m'apprend-elle, sans retenir les larmes qui roulent sur ses joues.

— Quand ça ?

— Il y a cinq jours, maintenant.

C'est arrivé avant même que Benjamin Leblanc disparaisse.

— Votre souhait a-t-il été exaucé ?

Bernadette commence par secouer la tête avant de hausser les épaules.

— Pas encore.

Je n'ajoute rien, car je ne suis pas certain de vouloir entendre ses confidences. Comme elle en a gros sur le cœur, elle se lance sans même que je pose la moindre question.

— Je n'ai jamais connu l'amour, monsieur Saint-Clair, et j'étais prête à tout pour enfin éprouver ce merveilleux sentiment. Vous savez, j'ai toujours vécu avec ma grand-tante Béatrice. Depuis qu'elle habite la résidence pour personnes âgées, ma vie est d'un ennui mortel. Il n'y avait plus que mes chats pour me tenir compagnie.

— Et Sébastien Simoneau, lui, désire que la mère Shipton guérisse sa conjointe. C'est pour cela qu'il lui a donné l'enfant.

— C'est exact.

Dans mon esprit, tous les éléments de cette sordide histoire s'imbriquent les uns dans les autres. C'est si ahurissant que j'en ai du mal à déglutir.

— Je sais, c'est monstrueux, s'excuse Bernadette en prenant sa tête entre ses mains. Si j'avais su quelles proportions toutes ces folies prendraient, je vous jure que jamais je n'aurais fait un tel pacte avec elle.

Je repense à Mireille et à ce dont Julien et moi avons été témoins alors que nous l'espionnions. La femme marchandait la vie de sa nièce et de l'enfant qu'elle porte contre la résurrection de son époux. Ma conversation avec la vieille Béatrice me revient également en mémoire.

— Michel a promis de lui livrer sa propre mère, n'est-ce pas ?

Bernadette hoche la tête. Elle est si pâle que je commence à craindre qu'elle s'évanouisse.

— En échange de quoi ?

— L'argent est la seule chose qui compte à ses yeux... Ne nous jugez pas trop sévèrement, monsieur Saint-Clair. Nous sommes tous sous l'emprise de la mère Shipton et c'est à cause d'elle que nous nous adonnons à d'aussi vils échanges.

Visiblement incapable de poursuivre cette conversation sans que je lui accorde un instant pour reprendre ses esprits, Bernadette me tourne le dos et ouvre une armoire. Elle attrape une tasse et se dirige vers la cafetière. Je crois que je vais enfin obtenir le café que j'espère depuis que j'ai mis le pied dans cette maison.

— Michel n'a plus aucun scrupule, monsieur Saint-Clair, affirme Bernadette en versant l'odorante boisson dans la tasse. Maintenant que le rituel des trois lunes est définitivement compromis, il n'hésitera pas à vous tuer si cela peut faire plaisir à la mère Shipton.

28

Stoneham, 7 h 56

Bernadette m'apprend que le rituel des trois lunes consiste en un sacrifice humain représentant chacun des aspects de la triade de la grande déesse. Sébastien Simoneau devait offrir la jeune vierge associée au premier croissant de lune. Comme il ignorait que les commandements d'Ursula doivent être respectés à la lettre, il a osé lui offrir un garçon avant même que le premier quartier de lune n'illumine le ciel. C'est à la suite de sa désobéissance que les choses ont pris un tour dramatique.

— Je ne sais rien d'autre, me jure-t-elle en enserrant sa tasse de café de ses deux mains. Tout ce que je veux, maintenant, c'est que ça s'arrête !

Le récit de Bernadette a totalement réduit au silence la petite voix intérieure qui me forçait à chercher une explication rationnelle aux derniers événements. Il m'est maintenant impossible de nier l'évidence. Une créature surnaturelle habite la forêt ancienne et menace tous ceux qui ont la malchance de croiser son chemin.

Je m'approche d'une porte-fenêtre qui s'ouvre sur l'arrière de la maison. Même si les arbres sont dépouillés de leur parure, la vue est magnifique. Une véritable forêt entoure la clairière au milieu de laquelle est bâtie la résidence de Bernadette et j'aperçois au loin quelques-uns des sommets du massif des Laurentides. Un peu à l'écart de la maison, je remarque un foyer de pierres et cela fait aussitôt naître une idée dans mon esprit.

— Je pourrais me servir de votre foyer extérieur?

Bernadette est surprise par ma demande. Je conçois aisément qu'elle trouve le moment mal choisi pour prendre un bon café auprès du feu.

— Attendez-moi un instant, dis-je en me dirigeant vers la porte principale. Je reviens tout de suite.

Je cours jusqu'à ma voiture, en ouvre la malle arrière et attrape la vilaine branche d'épinette que j'ai eu la bonne idée de sortir de chez moi. Je n'ose pas introduire le balai de sorcière dans la maison de Bernadette et je décide de la contourner pour arriver directement à l'endroit où se trouve le foyer. La propriétaire des lieux met peu de temps à enfiler un manteau et à me rejoindre à l'extérieur.

— Vous avez du papier et des allumettes?

La femme ne me demande pas pourquoi je désire brûler cette branche d'épinette et se dirige sans protester vers un cabanon que je n'avais pas remarqué, dans l'ombre de la maison. Elle revient vers moi armée d'une boîte d'allumettes et d'un petit bidon d'essence.

— C'est la mère Shipton qui a jeté ça chez vous, n'est-ce pas? dit-elle en plaçant le contenant entre mes mains.

J'acquiesce d'un hochement de tête, je dépose le bidon à mes pieds et jette le balai de sorcière dans l'âtre.

— Il faut détruire tout ce qui l'évoque, dis-je en me remémorant le conseil de Violette.

Je fouille dans la poche de mon manteau pour en sortir la serviette de table couverte des gribouillis de Bernadette. Mon hôtesse écarquille les yeux en reconnaissant son œuvre.

— Je suis incapable de penser à autre chose, se justifie-t-elle en pointant du doigt le papier. Ce symbole unit ceux qui ont contribué à ce qu'Ursula devienne ce qu'elle est. Il me hante.

— Alors, il faut le brûler et vous en défaire à jamais.

La serviette de papier rejoint la branche d'épinette dans l'âtre. Bernadette la regarde tomber. Soudain, elle me demande de l'attendre un instant. Elle retourne à l'intérieur de la maison pendant que j'asperge d'essence le balai de sorcière. Ce simple geste me fait plaisir, car j'ai l'impression qu'à travers lui je m'attaque directement à la mère Shipton.

Bernadette revient auprès de moi au pas de course. Elle tient dans ses mains un morceau de tissu noir que je reconnais, même s'il n'est pas déplié. Il s'agit de l'une des capes que portaient les disciples de l'homme cornu. Elle la balance par-dessus la branche d'épinette avec une expression dégoûtée.

— Allez-y! m'ordonne-t-elle, le souffle court.

Je craque une allumette qui s'embrase aussitôt. La brise menace de l'éteindre quand je la jette dans l'âtre. De hautes flammes s'échappent du foyer lorsque l'essence prend feu. Le tissu s'enflamme rapidement, mais la branche d'épinette proteste pendant plusieurs secondes en émettant de furieux crépitements. Je m'absorbe dans la danse des flammes, mais Bernadette pose sa main sur mon bras. Cela me fait sursauter. Quand je me tourne vers elle, je remarque la consternation peinte sur son visage.

— Regardez ! dit-elle en pointant la lisière de la clairière. Elle est là !

Je ne vois rien, sinon peut-être une ombre qui disparaît à travers les bois. La femme se cramponne à mon bras et je perçois les tremblements qui la secouent. J'essaie de me faire rassurant, mais ne réussis pas à la convaincre que nous ne courons aucun danger.

— Je dois partir d'ici, dit-elle en me tirant vers la maison.

— Attendez ! dis-je en plantant mes pieds dans le sol. Je quitterai cet endroit quand il ne restera plus que des cendres dans ce foyer.

Bernadette me supplie du regard. Je vois bien qu'elle est terrorisée.

— Elle nous a vus ! chuchote-t-elle. Elle sera bientôt là. Je vous en prie, monsieur Saint-Clair, partons !

Nous n'avons toujours pas bougé quand une détonation retentit. Je me jette au sol en entraînant Bernadette avec moi. La femme chute durement près de moi et roule sur le côté. J'essaie de l'attraper par la manche de son manteau pour qu'elle rampe avec moi vers l'âtre, mais elle est aussi inerte qu'une pierre. Un nouveau coup de feu fend l'air. Bernadette se tourne difficilement vers moi. À en juger par le rictus de douleur qui la défigure, il est manifeste qu'elle a été touchée par un projectile.

— Fuyez! râle-t-elle.

Je me refuse évidemment à l'abandonner ainsi. Je constate qu'une tache sombre s'agrandit à la hauteur de son épaule et cela m'inquiète au plus haut point.

— Vous êtes notre unique espoir que cette folie s'arrête, dit Bernadette d'une voix faible. S'il vous tue, la mère Shipton fera de terribles ravages…

Troisième coup de feu. La balle ricoche sur la pierre du foyer derrière lequel je m'abrite. Bernadette pousse un cri de douleur. Je me saisis de mon téléphone et compose le 911. Je presse la femme qui répond à mon appel d'envoyer des secours et, sans interrompre la communication, je rempoche mon appareil.

Bernadette roule sur le dos et tente de compresser son épaule touchée. De la salive rougeâtre s'échappe de la commissure de ses lèvres et je crains que sa blessure ne soit mortelle. En prenant soin de rester à couvert, je m'approche d'elle et écarte prudemment son manteau. Ses vêtements sont imbibés de sang. Malgré sa détresse, elle me repousse de toutes ses forces.

— Partez, j'ai dit! me supplie-t-elle. Pour notre salut…

Sans réfléchir, je m'élance vers la porte-fenêtre. Quand je pénètre dans la maison, l'écho se plaît à répéter un autre coup de feu. Je traverse la résidence en quelques enjambées. Je franchis la porte principale en courant, sans prendre la peine de la refermer. Je grimpe dans ma voiture, démarre et quitte la clairière sur les chapeaux de roues. Mon cœur bat à vive allure.

Une nuée de corneilles apparaît entre les arbres qui bordent le chemin de terre sur lequel je roule à tombeau ouvert. Elles volent très bas et croassent sans discontinuer. J'appuie sur l'accélérateur dans l'espoir de les effrayer, mais elles piquent vers la voiture et trois d'entre elles percutent de plein fouet le pare-brise qui se fissure et éclate. Je donne un malencontreux coup de roue et mon véhicule glisse sur la chaussée humide. Un bruit de tôle froissée précède le déploiement des ballons gonflables qui me sautent au visage juste avant que je perde connaissance.

29

Hôtel-Dieu de Québec, 13 h 33

Je suis très inquiet de Bernadette et, dès que j'aperçois une infirmière, je lui demande de ses nouvelles. Elle ne m'apprend pas grand-chose, sinon qu'elle est au bloc opératoire et qu'à son arrivée les médecins ont jugé son état grave.

Je n'ai que quelques égratignures au visage, des ecchymoses sur le bras gauche et un violent mal de tête, mais, comme je me suis évanoui au moment de l'impact, le médecin des urgences a préféré me garder à l'œil pendant quelques heures. Quand je reçois enfin mon congé de l'hôpital, je passe un coup de fil à Julien. J'habite à deux pas et je pourrais évidemment rentrer à pied, mais j'ai besoin de faire le point avec quelqu'un en qui j'ai confiance. Qui plus est, je suis forcé d'admettre que je suis plutôt secoué par tout ce qui vient de se produire.

Peu de choses réussissent à énerver Julien.

Bien qu'il n'ait jamais vraiment vécu dans son pays d'origine, on jurerait que la douce lenteur de la vie cubaine coule dans ses veines. Pourtant, quand il est question de mettre le pied dans un hôpital, mon ami devient nerveux. Il est d'une étonnante pâleur quand il paraît tout près de la civière sur laquelle je suis assis, aux urgences de l'établissement.

— Qu'est-ce qui t'est arrivé? me demande-t-il en me détaillant des pieds à la tête.

Je n'ai pas le temps de répondre à sa question. Un homme très mince aux joues creuses et au regard acéré fait glisser le rideau bleu qui me sépare des autres patients. Je reconnais l'inspecteur Constantin Lorrain avec qui Julien et moi avons passé une partie de la nuit. Ses yeux sont cernés par le manque de sommeil et il n'a pas rasé la barbe naissante qui envahit son menton.

— Il semble, monsieur Saint-Clair, que vous ne résistiez pas à la tentation de fourrer votre nez dans les affaires de la police, gronde-t-il sèchement.

— C'est une coïncidence, inspecteur.

— Dans ce cas, vous êtes toujours au mauvais endroit au mauvais moment.

— Madame Bernadette m'a supplié de la rejoindre chez elle. Je ne savais pas qu'on lui tirerait dessus!

Julien assiste à l'échange sans dire un mot. Son regard oscille entre l'inspecteur et moi. J'ai le sentiment qu'il préférerait disparaître sous le linoléum.

— Vous étiez là quand on a fait feu sur elle.

— Oui. C'est moi qui ai appelé les secours.

— Ce n'était pas une question. Vous avez vu son agresseur ?

Je secoue la tête. L'inspecteur ne semble pas convaincu et cela me pousse à compléter ma réponse.

— Bernadette a aperçu une forme sombre à travers les bois, dis-je en enfilant mon manteau. Moi, je n'ai rien vu.

— Que faisiez-vous chez elle ? Pourquoi cette femme vous a-t-elle demandé de lui rendre visite ?

Je préfère ne pas trop mentir à la police. Je raconte à l'inspecteur la visite que Michel Ferron a rendue à Bernadette. J'omets cependant de faire mention de tout ce qui entoure les apparitions de la mère Shipton. Quand le policier me demande si je connais le motif des menaces que Michel adresse à Bernadette, je ne sais pas trop quoi lui répondre.

— Bernadette est demeurée évasive sur le sujet, dis-je en soutenant son regard, mais je sais que sa grand-tante partageait la chambre de la mère de Michel, à la résidence pour personnes âgées. Il s'agit sans doute de vieilles querelles familiales.

— Possible, mais, selon mon expérience, une banale chicane conduit rarement à une tentative de meurtre.

— Peut-être est-il question de l'héritage de Marie-Claire Ferron ?

L'inspecteur fronce les sourcils et cela ne me dit rien qui vaille.

— Je suis persuadé que vous me cachez quelque chose, monsieur Saint-Clair, dit l'inspecteur quand je termine mon explication, mais je finirai bien par découvrir de quoi il s'agit.

Je m'abstiens de répondre et me force à demeurer de marbre. Je sais que je mens très mal. C'est pourquoi je préfère n'afficher aucune émotion plutôt que d'essayer de jouer la comédie.

— Je souhaiterais que vous ne quittiez pas les environs, au moins pendant les prochains jours, laisse tomber l'inspecteur alors qu'il s'apprête à partir. Juste au cas où d'autres questions me passeraient par la tête…

Je me crois débarrassé de lui, mais il hésite manifestement à quitter les lieux. J'attrape mes dernières affaires et m'approche de Julien, tandis que le policier se gratte distraitement la nuque.

— J'ai encore une question, monsieur Saint-Clair, aboie-t-il.

— Je vous écoute, dis-je en me retournant vers lui.

— Que faisiez-vous brûler au moment où le drame est survenu ?

— Rien de spécial. Des ordures et quelques branchages. Pourquoi ?

— Parce que vous n'auriez pas agi autrement si vous aviez voulu faire disparaître quelque chose.

— Vous faites fausse route, inspecteur, dis-je en haussant les épaules. Je n'ai rien à cacher. J'essaie seulement de comprendre ce qui se passe à Stoneham. Tout comme vous.

L'inspecteur me gratifie d'un sourire qui ressemble plutôt à un rictus machiavélique. On jurerait qu'il vient de mordre dans un citron.

— Évidemment, ajoute-t-il avant de tourner les talons, vous vous abstiendrez d'écrire la moindre ligne sur le sujet qui nous occupe. N'est-ce pas, monsieur Saint-Clair ?

***

Julien me raccompagne chez moi. En chemin, je lui raconte tout de mes dernières tribulations. Il gare maladroitement sa voiture dans une rue perpendiculaire à la mienne et freine mon élan quand je m'apprête à en descendre.

— Tu dois oublier toute cette histoire, Félix, me dit-il en posant sa main sur mon avant-bras. C'est beaucoup trop dangereux.

— Tu te fous de moi ? m'étonné-je. Tu crois vraiment que je peux faire table rase de tout ça et reprendre ma vie là où je l'ai laissée ?

Découragé, Julien secoue la tête. À en juger par son expression, il cherche les arguments qui réussiront à me faire changer d'avis, mais il ne parvient pas à formuler les nombreuses réflexions qui assaillent son esprit.

— Je suis trop impliqué, Julien, et des vies sont en jeu. Je ne peux pas rester là à ne rien faire.

— Ces gens sont prêts à tout, Félix. Ce sont de véritables fous furieux ! Ils n'hésiteront pas à te liquider si tu te mets en travers de leur chemin.

— Je te promets de redoubler de prudence, mais je dois absolument détruire cet égrégore.

Julien s'impatiente et me prend au collet. Son mouvement me fait sursauter, mais c'est la dureté de son regard qui me surprend le plus. J'essaie de le repousser, mais il est beaucoup plus fort que moi.

— Mais tu délires ! me crache-t-il au visage. Tu peux croire ce que tu veux, mais ce n'est pas une sorcière ni un fantôme qui a tiré sur toi et Bernadette. Ce que tu affrontes n'a rien de surnaturel et ta curiosité risque de te coûter la vie. Réfléchis un peu, Félix !

Je me raidis et Julien me relâche aussitôt. Je comprends que ce n'est pas le moment d'argumenter avec lui et, bien que je sois toujours sous le choc de mon accident de voiture, je bondis hors de la sienne et me dirige d'un pas vif vers chez moi. J'ai désespérément besoin d'un peu de tranquillité.

30

Québec, 14 h 20

C'est la tête un peu légère que je monte l'étroit escalier qui mène jusque chez moi. Alors que je fouille dans mes poches pour en sortir mes clés, je me promets de passer un coup de fil au rédacteur en chef et de lui expliquer ce qui m'arrive. Cela ne m'enchante guère, mais je préfère l'informer moi-même des derniers développements de mon enquête, plutôt que ce soit Julien qui s'en charge.

J'insère la clé dans le barillet de la serrure et la tourne machinalement. Le mécanisme s'enclenche comme à l'habitude, mais je n'entends pas son cliquetis caractéristique. Subitement nerveux, je pousse la porte tout doucement et passe la tête dans l'embrasure. Troodie s'amène en gambadant et sort dans le couloir pour venir se frotter contre ma jambe.

— J'ai trop d'imagination… Comment

vas-tu, Troodie? dis-je en me penchant pour gratter l'arrière des oreilles de ma chatte.

Elle me répond par un tout petit miaulement et trottine dans mon ombre quand je me décide enfin à rentrer chez moi. Je referme la porte, verrouille derrière moi et insère dans la glissière l'extrémité de la chaînette de sécurité. La sensation de sécurité que j'éprouve me fait pousser un énorme soupir.

En traversant la cuisine, je lance négligemment mon trousseau de clés et mon téléphone sur le comptoir. Troodie se poste devant la porte de ma chambre et entreprend de se lécher la patte. Quant à moi, je me rends à la salle de bain, retire mes vêtements et passe illico sous la douche. L'eau chaude, presque brûlante, détend les muscles endoloris de mon cou et de mes épaules.

Une serviette nouée autour de la taille, je me dirige vers ma chambre. Je dois enjamber ma chatte qui fait toujours sa toilette au beau milieu du couloir. Comme je ne relève jamais la toile, la pièce est plongée dans le noir total. Je tâtonne pour trouver l'interrupteur sur le mur, mais me fige quand des doigts se referment sur ma gorge et qu'on appuie la gueule glacée d'un pistolet sur mon ventre. La lumière s'allume. C'est un homme couvert d'une cape noire et coiffé d'un casque surmonté de cornes de bouc qui se trouve en face de moi.

— Vous êtes allé trop loin, monsieur Saint-Clair. Maintenant, les mains en l'air !

Je n'ai pas le choix d'obéir. Je n'ai pas le moindre doute quant à l'identité de l'homme qui se cache sous cet effrayant masque et je le sais capable d'appuyer sur la gâchette. Il a déjà tiré sur une femme sans défense, qui est peut-être morte à l'heure qu'il est.

— Vous avez tout gâché, gronde l'homme en enfonçant un peu plus le canon de son arme dans ma chair.

— Je ne suis coupable de rien, dis-je, les dents serrées.

— Vous mentez !

Les doigts de Michel se resserrent autour de ma gorge et j'ai du mal à déglutir. L'homme me tire à l'intérieur de la chambre et me plaque violemment contre le mur. Je ne parviens plus à respirer qu'au prix d'un grand effort.

— Vous avez capturé quelque chose d'elle ! tonne Michel dont la voix est assourdie par le masque effrayant. Dites-moi ce que vous lui avez fait.

Quand j'essaie de parler, je n'émets qu'un râlement lamentable et ma respiration chuintante devient douloureuse. Michel libère mon cou et relève son arme pour l'appuyer à la hauteur de mon cœur.

— Je n'ai rien fait, dis-je après avoir gonflé mes poumons d'air.

— Je n'en crois pas un mot.

— C'est la vérité.

— Si vous n'exerciez aucun pouvoir sur elle, la mère Shipton n'aurait jamais permis que vous lui preniez l'enfant.

L'homme lève sa main libre et attrape l'une des cornes de son casque. Il s'en décoiffe impatiemment et jette l'objet sur mon lit défait. Son visage est défiguré par une expression haineuse qui trahit sa folie.

— Comment avez-vous réussi à voler ma création ? fulmine-t-il en m'étranglant à nouveau.

— Vous êtes fou ! Je ne vous ai rien pris. Qui voudrait d'une créature aussi vile et répugnante qu'Ursula Shipton ?

Mes paroles décuplent la colère de l'homme. Ses doigts s'enfoncent de chaque côté de mon larynx et la douleur me fait monter les larmes aux yeux.

— Qui voudrait d'elle ? répète Michel dont les yeux injectés de sang sont soudés aux miens. Un homme qui a déjà souffert ne poserait jamais une question aussi stupide.

Je dois bander tous les muscles de mon cou

et de ma poitrine pour parvenir à respirer. Pour la première fois depuis le début de cette histoire, je crains que ma fin ne soit proche.

— Ursula Shipton est extrêmement puissante, continue Michel. Elle est capable d'attirer la fortune, de guérir les malades et de ressusciter les morts. J'ai désespérément besoin d'elle et vous me la rendrez !

Au péril de ma vie et parce que je sais que le manque d'oxygène me fera bientôt perdre connaissance, j'essaie de me libérer de mon tortionnaire. Je plaque une main contre son visage et tente de me soustraire à la gueule de l'arme en glissant contre le mur. Mon mouvement surprend Michel et je parviens à lui échapper, mais, en me déplaçant vers le coin du mur, je m'éloigne de la seule issue de la pièce. La serviette qui me couvre glisse sur mes hanches et je la rattrape d'une main nerveuse. Quand je relève les yeux, Michel me tient toujours en joue et ma détresse semble l'amuser. Il s'appuie au chambranle de la porte et ferme un œil pour mieux viser ma tête.

— Quand vous serez mort, elle me reviendra, dit-il dans un souffle.

Je plonge sur le lit au moment où Michel fait feu. La détonation résonne dans la pièce et la balle se fiche dans le placoplâtre en même temps que le masque cornu tombe en bas du lit. Je profite de l'effet de surprise pour rouler sur les couvertures emmêlées et bondir sur mon assaillant. Je le plaque à la manière d'un joueur de football qui charge son adversaire en enserrant sa taille. Nous chutons sur le sol et un nouveau coup de feu retentit. Je réussis à prendre le dessus et j'en profite pour asséner à Michel un solide coup de poing à la mâchoire. Un filet de sang gicle de sa lèvre inférieure et c'est à mon tour de l'étrangler. Michel pousse un cri bestial et me frappe au ventre à trois reprises. Je perds le souffle et l'homme me repousse avec force. Je culbute et ma tête heurte durement le sol, mais je ne me laisse pas abattre et je me redresse pour un nouvel assaut. Je freine mon élan parce que Michel braque encore son pistolet sur moi. Je constate alors que ma serviette s'est dérobée et que je suis nu comme un ver.

— Prépare-toi à mourir, menace-t-il.

Le meuglement d'une sirène de police nous parvient de l'extérieur. L'arme de Michel cliquette ; je crois ma dernière heure venue, mais des dizaines de corneilles se jettent contre mes fenêtres en croassant. Leurs cris infernaux et le bruit que font leur bec et leurs griffes en percutant le verre rendent la scène irréelle. Les sirènes se rapprochent. Michel prend panique et tire en direction des oiseaux. Ma fenêtre vole en éclats, les corneilles disparaissent et mon assaillant s'enfuit en courant.

J'ai heureusement le temps d'enfiler un jeans et un polo avant que deux policiers débarquent chez moi, l'arme au poing. Dès que je donne le signalement de mon assaillant, l'un d'eux s'élance à sa poursuite. L'autre répète ce que je lui dis dans un poste de communication et demande que le secteur soit bouclé.

La formidable poussée d'adrénaline que m'a value cette agression me survolte littéralement. Le policier essaie de me calmer, mais je ne réussis pas à tenir en place. Je réponds à toutes ses questions. Cependant, au bout d'un moment, elles me semblent si vaines que je perds patience.

— Vous devriez communiquer avec l'inspecteur Constantin Lorrain, dis-je sèchement en attrapant mon propre téléphone. Il vous remerciera de l'avoir alerté. Moi, si ça ne vous gêne pas, je vais tout de suite prévenir mon patron que je prends un ou deux jours de congé. C'est d'accord ?

31

Québec, 18 h 18

Le rédacteur en chef a accepté avec une clémence qui ne lui est pas coutumière de m'accorder quelques jours de congé. L'esprit pratique, il m'a recommandé de coucher sur papier tout ce qui m'arrive, de façon à ce que je puisse réutiliser mes mémoires dans une éventuelle série d'articles. Je le lui ai promis, mais je doute que le *Télégraphe de Québec* publie un jour une histoire aussi abracadabrante que celle dans laquelle j'ai été aspiré.

L'inspecteur Constantin Lorrain a lui-même pris ma déposition. Il a passé plus d'une heure chez moi et m'a obligé à lui raconter mon histoire à trois reprises. Je crois qu'il me soupçonne d'être l'un des acteurs coupables des tragiques événements survenus à Stoneham, mais il se trompe. Je ne suis qu'un spectateur qui a voulu voir l'envers du décor. Quoi qu'il en soit, je suis un peu rassuré de savoir que la police surveillera étroitement les alentours de mon lieu de résidence.

Dès que je me retrouve seul, je communique avec Julien pour lui raconter ce qui vient de se produire. Bien que nous nous soyons querellés quelques heures plus tôt, mon ami me propose aussitôt de me rendre visite. J'accepte de bon gré. Je pousse même l'audace jusqu'à lui demander de me prendre quelque chose à manger.

Toutes les lumières de mon appartement sont allumées et il y règne un silence absolu qui me rend inconfortable. Troodie est couchée sur le dos tout près du calorifère, car il fait très froid à l'extérieur. Contrairement à moi, elle semble parfaitement calme. Je suis toutefois rassuré de constater qu'elle se porte mieux.

Je suis incapable de m'asseoir et d'attendre tranquillement l'arrivée de Julien. Je circule de pièce en pièce dans mon appartement en me repassant sans arrêt le film des événements. Quand je m'approche tout près du lit, mon pied heurte quelque chose. Je me souviens alors du mensonge que j'ai servi à l'inspecteur Lorrain en jurant que mon assaillant n'avait jamais enlevé son casque et que je n'avais pu voir son visage. Je m'agenouille précipitamment, soulève l'édredon et ramasse le vilain objet. Les yeux vides du bouc provoquent chez moi un frisson impossible à réprimer. C'est à ce moment que je décide de passer un coup de fil à Violette.

— C'est Félix, dis-je simplement quand elle décroche.

— Elle est tout près de vous, Félix, chuchote la femme.

— Que dites-vous là ?

— Ursula Shipton. Je le sens. Elle approche…

Je ne sais pas quoi lui répondre. Je n'ai pas fermé l'œil de la nuit, j'ai survécu à un accident de voiture et à l'attaque d'un fou furieux et je ne me sens pas la force de faire face à autre chose.

— Vous ne devriez pas rester chez vous cette nuit, Félix, continue Violette, la gorge nouée.

— J'ai besoin de votre aide. Des événements très graves se sont produits aujourd'hui.

— De plus graves encore surviendront si vous ne vous protégez pas d'elle.

— Que puis-je faire ?

— Je vous l'ai déjà dit. Il faut détruire tous les symboles qui se rapportent à elle.

Je tiens toujours le casque cornu entre mes mains. Il est plutôt lourd et, en le palpant, je me rends compte qu'il a été sculpté dans le bois. De la fourrure naturelle le recouvre en partie et ses cornes ont été peintes en noir.

— Venez chez moi, Félix, me propose Violette. Je vous accueillerai cette nuit. Vous me raconterez tout.

Les coups qu'on frappe à ma porte me forcent à interrompre la communication sans répondre à l'invitation de la rouquine. Je me dirige vers l'entrée et, je l'avoue, j'ouvre avec une certaine appréhension. Quand le battant s'écarte, j'aperçois Julien qui se tient dans l'embrasure, un sac de restauration rapide à la main.

— Ça va ? demande-t-il, l'air penaud.

— Ça peut aller.

— Tu as faim ?

J'ai peut-être l'estomac dans les talons, mais mon esprit est ailleurs. Le regard de Julien passe de mon visage à ce que je tiens entre mes mains. Son expression embarrassée se transforme instantanément pour montrer les signes du plus profond ahurissement.

— Je t'expliquerai en route, dis-je en déposant le casque sur le pas de la porte. Attends-moi, je serai prêt dans une minute.

— En route ? Mais où va-t-on ? s'exclame Julien. Et ton hamburger, dans tout ça ?

***

Je fourre une poignée de vêtements dans mon sac à dos, attrape en vitesse quelques articles de toilette, force Troodie à entrer dans sa petite cage et cache le casque de bouc dans un grand sac avant que nous quittions l'immeuble. Deux minutes plus tard, la voiture de Julien file sur la route en direction de Sainte-Catherine-de-la-Jacques-Cartier. Effrayée, ma chatte proteste ardemment en miaulant pendant tout le trajet. Pour ma part, j'en profite pour engloutir le sandwich tiède et les quelques frites qui me sont destinés.

— Tu aurais pu dormir chez moi! maugrée Julien en garant la voiture devant la jolie maison de Violette.

— Ne t'offusque pas! Je dois parler avec elle.

Violette nous ouvre avant même que nous ne cognions à sa porte. Pleurote et Coquelicot, ses gigantesques chiens, nous accueillent avec un concert d'aboiements. Le plus gros se faufile à l'extérieur et écrase sa truffe contre la cage de Troodie, qui cesse aussitôt de miauler pour se mettre à feuler.

— Du balai, les chiens! s'écrie impatiemment la rouquine.

Pleurote et Coquelicot obéissent sans rechigner et disparaissent dans les profondeurs de la maison. Soulagée, Troodie se calme un peu.

— Mais entrez donc! dit Violette en s'écartant pour nous laisser passer. Je suis heureuse que vous soyez venus. Vous êtes les bienvenus. Tous les deux!

Julien et moi pénétrons dans la maison et suivons la propriétaire des lieux jusqu'au salon. Deux tasses et une théière fumante ont été disposées sur une table basse, tout juste devant l'âtre où le feu crépite joyeusement. Je dépose la cage de Troodie sur le sol, mais, en raison de la présence des molosses, je n'ose pas la libérer tout de suite. Une formidable sensation de calme s'empare de moi. Même si je sais que je devrai batailler encore quelques heures contre le sommeil, je ne rêve plus que d'un lit douillet.

— J'étais certaine que vous viendriez, dit Violette en désignant le canapé où elle souhaite que nous prenions place. Vous prendrez bien un peu de thé?

J'accepte volontiers, tandis que Julien secoue la tête. Violette me sert et s'assoit à son tour.

— Vas-tu enfin nous raconter ce qui t'arrive? s'impatiente Julien, visiblement contrarié par notre présence chez la rouquine.

Je fais pour eux le récit des événements survenus au cours des dernières heures, en m'efforçant de rapporter le plus fidèlement possible les propos de Bernadette, puis ceux de Michel. Au bénéfice de Violette qui ignore tout de notre escapade dans la forêt ancienne, je relate également les heures angoissantes que nous avons vécues, Julien et moi, avant que je retrouve Benjamin Leblanc.

— Michel a bien dit que vous vous étiez emparé de quelque chose de la mère Shipton, n'est-ce pas? s'assure Violette.

— C'est exact. Il m'a accusé d'avoir volé sa création!

— C'est extrêmement inquiétant. L'égrégore de la mère Shipton échappe tout à fait à celui qui l'a invoqué. Il faut que sa puissance soit grande pour qu'elle arrive à briser le lien entre elle et son créateur.

Une bourrasque fouette la maison riveraine et son sifflement provoque un silence entre nous. Je me rends compte que je tiens ma tasse de thé très fort. Je la porte à mes lèvres, mais elle est vide. Quand je baisse les yeux vers le fond de l'ustensile, je remarque que les miettes de feuilles de thé forment un étrange dessin. Violette s'avise de mon étonnement et se lève aussitôt pour me prendre la tasse des mains.

— C'est une corneille! s'écrie Violette en plongeant son nez dedans.

Un croassement lui répond et nous fait tous sursauter. Julien et moi bondissons à l'unisson sur nos pieds et jetons des regards anxieux dans toutes les directions. Dans sa cage, Troodie se met à miauler. Un nouveau croassement se fait entendre et les miaulements de la chatte se transforment en un cri de frayeur. Julien sillonne la pièce et s'agenouille devant l'âtre. Malgré la présence des flammes, il essaie de voir à l'intérieur de la cheminée.

— Il y a quelque chose qui frotte là-dedans, dit-il en se reculant vivement, assailli par l'intense chaleur. Vous n'entendez pas ?

Je tends l'oreille, mais n'entends rien, sinon le crépitement du feu et le vent qui mugit toujours à l'extérieur.

— Une corneille ne peut pas survivre à une telle chaleur ! plaide Violette.

Un bruit sourd confirme les dires de Julien. On jurerait qu'il y a quelque chose qui racle les parois intérieures de la cheminée. Des flocons de suie tombent alors sur l'attisée. Le raclement se fait plus intense et un objet glisse de la cheminée jusqu'au fond de l'âtre. Des dizaines d'étincelles sont projetées dans l'air, ainsi qu'un petit nuage de cendres. Quand les poussières se dissipent, nous apercevons les rameaux rabougris d'un balai de sorcière qui reposent dans la braise. L'autre extrémité de la branche est toujours coincée dans la cheminée. Les chiens aboient sans discontinuer, Troodie continue de brailler sa terreur, tandis que nous sommes tous les trois fascinés par la sinistre apparition.

— Brûlons-la au plus vite! dis-je en attrapant quelques-unes des bûches empilées dans un grand panier.

En déposant les bouts de bois sur les rameaux, je vois que la branche d'épinette est gorgée d'humidité. Le tableau me rappelle la tragédie survenue le matin même. Je m'élance sans hésiter vers le hall d'entrée et me précipite à l'extérieur. Je regarde de tous les côtés et m'éloigne de la maison pour mieux voir le sommet du toit, mais je ne remarque rien d'anormal. Le vent me cingle les joues, les arbres ploient sous ses assauts et un étrange tourbillon de brindilles naît à mes pieds. Malgré le froid et les gouttes de pluie qui commencent à s'écraser sur mon visage, je fais le tour de la résidence au pas de course, inspecte les limites du terrain et reviens vers la voiture. J'ouvre la portière arrière et attrape le masque de bouc que j'ai déposé sur la banquette. Julien me rejoint au moment où je m'apprête à rentrer.

— Tu as vu quelque chose? me demande-t-il, le visage crispé par la surprise.

— Rien. Pas même cette maudite corneille.

Comme nous revenons vers la maison, une bourrasque nous fait presque perdre pied. Violette ouvre la porte devant nous et, dès qu'elle voit ce que je tiens entre mes mains, elle m'ordonne de le jeter dans le feu. Un instant plus tard, le masque rejoint le balai de sorcière dans les flammes redevenues vigoureuses.

Violette nous quitte et réapparaît presque aussitôt, un grand couteau dans les mains. Instinctivement, Julien et moi reculons, mais elle ignore notre mouvement et se place au beau milieu du salon. L'arme au poing, elle tend les bras devant elle et ferme les yeux. Elle psalmodie quelques paroles incompréhensibles et se met à tourner sur elle-même. La pièce n'est éclairée que par les flammes qui dansent dans l'âtre et la lumière diffuse d'une lampe Tiffany. Je suis sidéré par le halo bleuté que je devine à la pointe du couteau de Violette, mais le moment est si mystérieusement solennel que nous n'osons pas prononcer la moindre parole.

Violette ouvre les yeux et pousse un long soupir. Elle dépose le couteau tout près de la théière et regarde autour d'elle. Elle voit manifestement quelque chose qui nous échappe à tous les deux.

— J'ai utilisé cet athamé[1] pour créer un cercle de protection autour de nous, nous apprend-elle avant de reprendre place dans son fauteuil. Pour le moment, nous n'avons plus rien à craindre.

1. Dague cérémonielle utilisée dans les rituels de la Wicca.

— Pour le moment ? répète Julien dans un souffle.

— J'ai bien peur que la mère Shipton ne vous laisse jamais tranquille, Félix, explique Violette. Où que vous soyez.

— Je ferai tout pour qu'elle disparaisse ! dis-je d'un ton lugubre.

— Il faut d'abord que vous écoutiez ce que j'ai à vous dire. J'ai appris de nouvelles choses au sujet d'Ursula Shipton depuis notre dernière rencontre et le récit de vos aventures semble confirmer ce que je subodore. Mais, avant, je crois que vous devriez dormir un peu.

32

Sainte-Catherine-de-la-Jacques-Cartier, 7 h 30

Violette a insisté pour que Julien dorme lui aussi chez elle. Bien qu'il soit beaucoup trop fier pour l'avouer et que son éternel scepticisme ne l'autorise pas à admettre la peur qu'il ressent, je sais qu'il a beaucoup apprécié le fait de passer la nuit sous le toit d'une sympathique sorcière.

J'ai dormi à poings fermés et cela m'a fait le plus grand bien. Le matin venu, je suis heureux de retrouver Violette et mon meilleur ami, attablés devant un solide petit-déjeuner.

— Il existe une cascade dans les environs de Knaresborough, en Angleterre, dont les eaux possèdent l'incroyable pouvoir de pétrifier n'importe quel objet déposé à proximité, nous apprend Violette avant de tremper ses lèvres dans un chocolat chaud.

— Attendez ! C'est bien à cet endroit qu'a vécu la mère Shipton, n'est-ce pas ?

— Exact. Et n'avez-vous pas trouvé, tout près d'une source de la forêt ancienne, un ourson de pierre ?

— Ainsi qu'un panier et une canne de bois pétrifiés, oui, dis-je en hochant plusieurs fois la tête. Je vous en ai d'ailleurs montré la photo.

— Je jurerais que le panier qu'on y voit est en fait un moïse, Félix.

— Qu'est-ce que c'est que ça ?

— C'est une corbeille en osier qui sert de berceau aux nourrissons.

Je repousse mon assiette et tourne mon regard vers la fenêtre. La rivière s'étire paresseusement dans la vallée. Je m'efforce de mettre silencieusement de l'ordre dans mes idées, mais mon esprit tourne si vite que je dois réfléchir tout haut pour y voir clair.

— Par je ne sais quelle magie, Michel Ferron et ses disciples créent un égrégore qu'ils espèrent capable d'exaucer leurs souhaits les plus chers. Quand Benjamin Leblanc disparaît, je participe à la battue organisée sur le mont Wright. J'y fais la rencontre de Mireille, une femme mystérieuse dont nous serons à même de constater les étranges comportements. Lors de la battue, un doigt arraché est retrouvé et je déniche le pendentif du garçonnet à travers les feuilles mortes. Un peu plus tard, j'entends un sifflement, je prends plusieurs photos et, grâce à l'aide de Julien, je constate que j'ai photographié une main spectrale posée sur le tronc d'un arbre.

— Continuez, dit Violette en baissant les paupières pour mieux écouter.

— Nous rentrons bredouille de cette battue, car l'enfant n'est pas retrouvé. Le soir même, d'étranges événements surviennent chez moi. Troodie se comporte bizarrement et une branche d'épinette est projetée contre ma fenêtre. J'étais seul chez moi, ce soir-là, mais je jurerais que j'ai ressenti une présence…

Julien dépose dans son assiette le bout de pain qu'il grignote. Mes propos le rendent visiblement nerveux, mais c'est lui qui poursuit le récit.

— Le lendemain, nous nous rendons à Stoneham où nous faisons à nouveau la rencontre de Mireille et de la bande qui l'accompagne, résume-t-il. Nous discutons avec Michel, il nous rabroue bêtement et tu repères, dans les poubelles, la serviette de Bernadette, couverte de gribouillis.

— Nous prenons peu après Mireille en filature et nous assistons aux terribles événements qu'on connaît, la nièce qui s'évanouit et sa tante qui rend visite à Ursula dans la maison voisine.

Violette rouvre ses grands yeux. Elle nous regarde comme si elle ne nous avait jamais vus.

— Benjamin Leblanc, la nièce de Mireille et cette pauvre femme, Marie-Claire Ferron, sont trois victimes avérées ou potentielles dans cette histoire, dit-elle d'une voix blanche. Nous savons que la triade de la déesse est associée aux trois phases visibles de la lune qui, elles, représentent la jeune vierge, la femme enceinte et la vieille dame.

— Mais Sébastien Simoneau ne respecte pas sa parole et, avant même que le premier croissant de lune illumine le ciel, il offre à la mère Shipton le fils de sa conjointe, en échange de la guérison de cette dernière.

— Là, le rituel est compromis, intervient Violette en battant l'air de son index. Les rituels de magie noire, comme ceux de la Wicca, sont réglés sur le cycle de la nature. Si leur séquence n'est pas respectée, le temps lui-même peut être chamboulé.

— C'est pourquoi j'ai pu assister, à travers une transe profonde, au rituel d'invocation de l'égrégore de la mère Shipton. Cette cérémonie a été interrompue par l'irruption de Simoneau et de son beau-fils.

Le regard de Julien passe de mon visage à celui de Violette. À en juger par son expression ahurie, il nous croit fous.

— Les égrégores sont réels, mais ils se manifestent rarement par des apparitions, explique Violette. On devine, on ressent leur présence bien plus qu'on ne les voit. Ils peuvent certes se matérialiser, mais ils préfèrent souvent démontrer qu'ils existent en déplaçant des objets ou en se manifestant auprès des animaux, bien plus sensibles que l'homme à ce genre de phénomène. Les assauts qu'a subis votre chatte n'en sont-ils pas la preuve ?

— D'après vous, qu'est-il arrivé à Marie-Claire Ferron ? demande Julien.

— La mère Shipton se nourrit de l'énergie vitale de ceux qui lui sont sacrifiés, répond Violette. Elle tenait le garçon, mais cela ne lui suffisait pas, car c'était une jeune fille qu'elle espérait. Rappelez-vous ! Pour Ursula Shipton, le temps est déréglé. Assoiffée de puissance, elle est allée prendre la vieille femme qu'on lui destinait sans attendre qu'on la lui offre et que la lune en soit à son dernier croissant.

Mon cœur se serre d'angoisse. L'enfant a été sauvé, la vieille dame est morte, mais qu'adviendra-t-il de la femme enceinte ?

— Croyez-vous qu'il soit aussi trop tard pour sauver la nièce de Mireille ?

Violette secoue la tête.

— De son vivant, la mère Shipton était une sorcière extrêmement douée et son égrégore possède encore ses indéniables talents. Si vous me permettez de m'exprimer ainsi, je suis sûre qu'elle tentera de remettre les pendules à l'heure en conduisant l'ultime sacrifice au moment prévu.

— Soit lors de la prochaine pleine lune, dis-je à la place de la rouquine. Quand aura-t-elle lieu ?

— Dans deux jours.

Violette se lève et s'emploie à débarrasser la table. Elle s'arrête au moment où elle empile les assiettes les unes sur les autres.

— Quelque chose ne colle pas dans tout ça, dit-elle en fourrageant distraitement dans son épaisse tignasse.

— À mon avis, rien ne colle dans cette histoire rocambolesque, dit Julien. Mais dites toujours, on ne sait jamais.

— Bernadette vous a dit que Michel Ferron pratiquait le bouddhisme. Je ne connais pas grand-chose à cette religion, mais j'en sais suffisamment sur le sujet pour être sûre que la magie n'en fait pas partie.

Je me lève en repoussant ma chaise un peu trop brusquement. Pleurote et Coquelicot grondent faiblement, mais Troodie, qui, en une seule nuit, est devenue leur maîtresse incontestée, les réduit au silence d'un simple couinement. Elle se pelotonne entre les pattes du plus gros des deux toutous couchés à nos pieds et enfonce son museau dans sa fourrure blanche pour mieux se rendormir.

— Il n'en faut pas plus pour me convaincre d'aller faire un tour dans la maison de Michel, dis-je en donnant une bonne tape sur l'épaule de mon ami.

— Pas si vite, s'oppose Violette en posant les poings sur ses hanches. Vous oubliez les symboles.

Mon air dubitatif pousse Violette à préciser le sens de ses paroles.

— Vous avez brûlé la branche d'épinette qu'on a jetée chez vous, la serviette de table, le masque de bouc ainsi que le second balai de sorcière qui est tombé hier dans ma cheminée. Bernadette a aussi tenu à ce que soit détruite la cape qu'elle portait pour invoquer l'égrégore de la mère Shipton, mais je crois qu'il faut également récupérer et détruire les objets de pierre que vous avez découverts dans la forêt ancienne.

— C'est impossible ! s'exclame Julien. Nous avons fait part de notre trouvaille à l'inspecteur Lorrain et il a certainement posté un ou deux de ses hommes pour surveiller les lieux en attendant que l'enquête soit terminée. Comment voulez-vous que Félix mette la main sur ces objets ?

— C'est pourtant ainsi qu'on détruit un égrégore, regrette Violette en attrapant les assiettes empilées et en se dirigeant vers la cuisine.

Un plan germe dans mon esprit, mais il y a quand même autre chose qui me taraude. Je sors mon téléphone de ma poche et retrouve la photographie sur laquelle on aperçoit la main de la mère Shipton.

— Cette photographie pourrait-elle être la cause du lien qui m'unit à cette sorcière?

Violette ne répond pas et Julien me regarde avec un drôle d'air.

— Il y a plus d'un siècle, les Amérindiens craignaient qu'on s'empare de leur âme en les photographiant. Si j'avais volé une parcelle de cette créature en réussissant à capter une preuve de sa matérialisation à travers cet objectif?

33

Parc de la forêt ancienne, 17 h 27

— Tu es certain de vouloir faire ça ?

Julien porte un manteau, des pantalons, une cagoule et des gants noirs. Bien qu'il fasse nuit, ses yeux sont cachés par de grosses lunettes de soleil. Nous nous tenons dans l'ombre d'une épinette, tout près de l'endroit où se trouve la cascade aux eaux pétrifiantes. Il est à côté de moi, mais sa tenue est si discrète que j'arrive à peine à le voir.

— Ils ne réussiront jamais à m'attraper, chuchote-t-il en penchant la tête vers moi. Ne t'inquiète pas.

Ce plan est le mien et je rechigne à ce que Julien prenne le risque d'être intercepté par les forces policières. Nous sommes dans la forêt ancienne, la nuit vient tout juste de tomber et nous avons repéré les policiers qui montent la garde près de la cascade et de la caverne où j'ai retrouvé le petit Benjamin. Ils sont deux, ils sont armés jusqu'aux dents et semblent de fort mauvaise humeur. Il est vrai que la perspective de passer la nuit dans la forêt à surveiller quelques objets de pierre n'est pas très réjouissante.

— Tu es prêt? dis-je à l'intention de mon ami.

Julien me répond par un hochement de tête. Une seconde plus tard, il s'élance à travers les arbres et court vers la cascade. De mon poste d'observation, je constate que les policiers sont immédiatement alertés par le bruit de ses pas. Ils dégainent leur arme et fouillent les alentours du regard. À en juger par leur faciès crispé, ils craignent de voir surgir une bête sauvage.

Il fait si noir dans la forêt que je n'arrive même plus à savoir où se trouve Julien. Quand je crois deviner, sur ma droite, sa silhouette mouvante tapie dans l'obscurité, je suis surpris par le craquement d'une branche qui me parvient de la gauche. Les policiers allument leur lampe-torche et dissèquent les ténèbres en plissant les yeux. Un faisceau lumineux passe sur moi et je me jette à plat ventre sous les branches basses de l'épinette. L'odeur de sa gomme m'emplit les narines, mon cœur bat à une vitesse folle et, comme je crains d'être repéré, je plonge mon visage dans les aiguilles séchées du conifère. À ce moment, Julien bondit vers les gardiens en poussant un grand cri et bifurque aussitôt vers les profondeurs de la forêt. Les deux policiers le hèlent de toutes leurs forces et s'élancent à sa poursuite. Quand je relève la tête, je vois une forme mouvante qui s'enfonce dans la noirceur des bois, deux hommes sur les talons.

L'écho de la montagne amplifie les cris des policiers qui ordonnent au fuyard de s'immobiliser. Un coup de feu retentit et, sans réfléchir, je sors de ma cachette et dévale la pente qui mène à la cascade. Je glisse sur la terre mouillée pour passer en dessous des rubans jaunes tendus par les policiers pour encercler la zone. Au loin, la poursuite continue. Un nouveau coup de feu explose dans la nuit, mais les voix des policiers, qui continuent à hurler, sont de moins en moins distinctes.

— C'est le moment ou jamais, dis-je entre mes dents serrées.

J'entre à grandes enjambées dans le mince cours d'eau qui s'étire au pied de la cascade. J'avance rapidement et mes semelles glissent sur les galets visqueux qui gisent au fond du ruisseau. Des éclaboussures mouillent mes pantalons jusqu'à la taille, l'eau est glacée et je ne vois pas grand-chose, mais je ne m'arrête que lorsque je me tiens sous les objets suspendus devant le mur d'eau. Je n'ai aucune difficulté à attraper la canne de bois qui se balance doucement au-dessus de ma tête, mais je dois sauter à plusieurs reprises avant de réussir à attraper le panier. Mes doigts se referment sur l'objet. Il a été fermement assujetti à la corde qui surplombe la petite chute et le moïse m'échappe. Je saute une nouvelle fois pour m'accrocher à l'objet. La corde tient bon, mais la branche à laquelle elle est nouée cède sous mon poids. Je perds pied et tombe à la renverse dans l'eau, le panier sur les bras. Une douleur instantanée me vrille le dos, mais je me relève le plus vite possible, attrape la canne de bois qui gît tout près de moi dans l'eau peu profonde et retourne vers la rive.

Je suis trempé et mort de froid. Néanmoins, avant de quitter les lieux, je dois retrouver l'ourson de pierre. Je n'ose pas allumer ma lampe de poche, craignant que sa lumière n'alerte les policiers qui tentent de mettre le grappin sur Julien. Je longe la paroi rocailleuse de la montagne pour retrouver l'entrée de la caverne. Je me souviens d'avoir abandonné la peluche quand les corneilles se sont attaquées à moi.

Tout le périmètre a été sécurisé et de nouveaux rubans jaunes m'interdisent l'accès aux environs de la caverne. Il est trop tard pour reculer. Je déchire le cordon de ma main libre, dépose le panier et la canne sur le sol et m'agenouille pour mieux fouiller les environs de la grotte. J'avance à tâtons, mais ne trouve rien, sinon quelques cailloux et une tonne de feuilles mortes. Sur ma droite, je repère l'entrée de la caverne et y introduis les mains. Je farfouille pendant de longues minutes, mais la terre humide, un amas de gravats et une poignée de brindilles sont mes seules trouvailles.

Une troisième détonation me fait sursauter. Elle me semble beaucoup plus proche que la deuxième. La mort dans l'âme, je reviens sur mes pas, reprends le panier et la canne et cours vers la cascade. À travers les arbres, j'aperçois de nombreux faisceaux lumineux et je comprends aussitôt que les policiers ont appelé des renforts. Si je ne disparais pas rapidement, je risque d'être pris en souricière, acculé à la paroi de la montagne.

Je détale à toutes jambes vers les hauteurs de la forêt ancienne d'où je pourrai regagner les sentiers balisés. Même si je ne vois pas plus loin que le bout de mon nez, je zigzague à toute vitesse parmi les troncs gris et décharnés. Avant de nous séparer, Julien et moi avons convenu de nous retrouver à la voiture, garée beaucoup plus loin, dans une rue qui avoisine le parc du mont Wright. Je n'ai pas retrouvé l'ourson de pierre, mais, à ce moment, je m'en moque éperdument. Tout ce que je souhaite, c'est qu'il ne soit rien arrivé à Julien. Le lugubre croassement d'une corneille me parvient comme une réponse à mes plus sombres pensées.

34

Saint-Adolphe, 19 h 51

Julien m'attend depuis plusieurs minutes quand j'arrive enfin à la voiture, passablement essoufflé et surtout transpercé par le froid. Mes vêtements souillés me donnent l'air d'un pourceau qui aurait batifolé dans la boue. Soulagé de retrouver mon ami sain et sauf et d'avoir moi aussi échappé aux policiers, je jette le panier et la canne dans le fond du coffre de la voiture et nous montons à bord. Quand Julien enlève sa cagoule, je remarque le sourire béat qui étire ses lèvres. À n'en pas douter, il est extrêmement fier de lui.

— Je n'ai pas eu le moindre mal à les semer, annonce-t-il sur un ton enjoué. Je préférerais malgré tout que nous quittions cet endroit sinistre. Tu as les trois symboles ?

— Je n'ai pas retrouvé l'ourson, dis-je d'une voix sourde.

Mon ami fait démarrer sa voiture et la chaleur bienfaitrice qui s'échappe rapidement des bouches d'aération suffit à amoindrir mes claquements de dents. Nous quittons très lentement la rue où nous étions stationnés et rejoignons la route qui mène vers Saint-Adolphe. Quand la montagne disparaît derrière nous quelques minutes plus tard, Julien et moi soupirons d'aise. Il semble qu'en raison de notre rapidité à traverser la forêt nous ayons véritablement réussi à échapper à la police.

— Tu n'as pas changé d'avis ? demande Julien en se tournant vers moi. Nous allons toujours rendre visite à Michel ?

Je hoche la tête sans quitter la route des yeux.

— Tu es complètement trempé, renchérit-il. On pourrait y aller un autre jour…

— Il vaut mieux en profiter, c'est ce soir qu'il enterre sa pauvre mère.

***

La maison de Michel Ferron est perchée à flanc de montagne et surplombe les gorges des Laurentides. C'est une construction moderne et luxueuse dont la façade est entièrement fenêtrée. On y accède par une allée privée très abrupte et bordée d'arbres noueux.

Julien dépasse volontairement l'entrée de la

résidence et gare sa voiture un peu plus loin en bordure de la route. L'idée de quitter la chaleur du véhicule avec mes vêtements mouillés ne me sourit guère, mais je n'ai pas le choix. C'est Michel qui a donné vie à l'affreuse créature qu'est Ursula Shipton et je ne doute pas qu'une petite virée dans son antre nous en apprendra davantage sur ce phénomène. Si nous ne réussissons pas à détruire l'égrégore, Dieu sait quel malheur nous tombera encore dessus.

De manière à ne pas être vus, Julien et moi choisissons de marcher à travers les arbres qui bordent la route de campagne. Le vent souffle puissamment et ses rafales font gémir la forêt gelée. L'hiver approche et le paysage se colore d'une multitude de nuances de gris.

Nous nous engageons prudemment dans l'allée qui mène à la propriété. Il n'y a pas la moindre lumière et la maison elle-même, qu'on devine au-delà des branches dénudées des arbres, est plongée dans l'obscurité. À première vue, l'endroit semble désert.

Nous rejoignons sans difficulté une petite esplanade couverte de cailloux où le propriétaire des lieux doit garer sa voiture. Tout près de l'aire de stationnement sont entassés plusieurs cordons de bois. Un grand escalier de métal, accroché au flanc rocheux de la montagne, serpente jusqu'à l'entrée de la maison.

Quand je m'en approche, Julien me rattrape et passe devant moi.

— J'y vais le premier, murmure-t-il en enfilant à nouveau sa cagoule. Tu restes ici et je te fais signe dès que je suis convaincu que la voie est libre. En attendant, tu fais le guet, juste au cas où notre homme rappliquerait.

Comme la maison est outrageusement trouée de fenêtres, il est préférable que celui qui s'en approche cache son visage. De plus, je ne serais pas surpris qu'une résidence aussi luxueuse soit dotée d'un important système de sécurité.

Julien gravit l'escalier et atteint une spacieuse galerie de bois qui encercle la maison. Il disparaît ensuite dans la noirceur. Si je pouvais suivre sa progression en écoutant le bruit de ses pas quand il montait les marches métalliques, je n'entends maintenant plus rien. Une bourrasque d'une violence inouïe me glace sur place et me force à me recroqueviller. Je me dis que je vais mourir de froid quand Julien, par un banal sifflement, m'autorise à le rejoindre. Mon jeans est littéralement gelé et j'ai du mal à plier les genoux pour monter. J'essaie d'ignorer les picotements qui s'intensifient dans mes jambes et commence à grimper sans faire le moindre bruit.

— Vous cherchez quelque chose ? intervient une voix féminine au-dessus de moi.

Je m'arrête et m'accroupis au milieu de l'escalier. Je lève la tête dans l'espoir de voir quelque chose, mais, devant mes yeux, tout est noir. Des pas se font entendre sur la galerie et j'aperçois une silhouette aussi sombre que la nuit qui recule et s'appuie au garde-corps.

— Montrez-moi votre visage, ordonne la femme que je ne vois toujours pas, mais dont je reconnais la voix.

Julien obtempère sans protester et retire lentement sa cagoule. Son obéissance me porte à croire que la femme est armée.

— Votre ami Félix est avec vous ? demande Mireille en reconnaissant Julien.

— Non. Il assiste aux obsèques de madame Ferron.

— Vous mentez. La cérémonie est terminée depuis quelques heures, déjà.

— Alors, il doit être rentré au journal.

— Doit-il écrire un papier sur les funérailles ?

— Sans doute.

— Maudit soit-il ! gronde Mireille. Pourquoi ne nous laisse-t-il pas tranquilles ? Ce qui se passe ici ne le concerne pas. Ça ne regarde personne ! Personne !

Elle est vraisemblablement au bord de la crise de nerfs. D'où je me tiens, je perçois un cliquetis métallique et j'en déduis qu'elle vient d'armer son pistolet.

— Posez vos mains sur votre tête et entrez dans la maison, commande la femme en s'approchant de quelques pas. À son retour, Michel appréciera certainement d'avoir la chance de vous poser questions.

Quand la porte de la maison se referme derrière eux, je me dis que les choses ne pouvaient pas plus mal tourner.

***

Le fait que Mireille participe aux sacrifices qu'exige la mère Shipton me force à croire qu'elle est capable de tuer. Je sais qu'elle est armée, son état psychologique inquiéterait n'importe qui et elle tient Julien en otage. Quant à moi, je n'ai pas d'arme, je suis gelé jusqu'aux os et je n'ai pas envie d'expliquer à la police que je me bats contre l'égrégore d'une sorcière anglaise morte depuis plus de cinq cents ans. Une seule question tourne en boucle dans mon esprit : maintenant, que dois-je faire ?

Le temps presse, mais j'ai si froid que j'ai du mal à réfléchir. Je ne sais rien des plans de

Mireille ; j'essaie seulement de me convaincre qu'elle n'a aucun intérêt à abattre Julien froidement avant que Michel soit de retour.

L'intérieur de la maison s'illumine tout à coup, mais, parce que je suis toujours prostré au milieu de l'escalier, je ne peux pas voir ce qui s'y passe. Je ne peux pas monter et apparaître sur la galerie sans risquer d'être repéré et c'est pourquoi je choisis de redescendre tout doucement de mon perchoir. Sans faire le moindre bruit, je me glisse entre les fondations de la maison et les cordons de bois et me force à inspirer calmement. Ainsi caché et légèrement protégé du vent, j'arriverai peut-être à réfléchir.

Je ferme les yeux et me replie sur moi-même pour retrouver mon calme et conserver le peu de chaleur qu'il me reste. Le mugissement du vent et la noirceur de la nuit me rendent inconfortable et font en sorte que j'ai l'impression d'être seul au monde.

Un détestable sentiment m'assaille soudain. Je le connais, car ce n'est pas la première fois que je l'éprouve. Je deviens si nerveux que j'en ai presque des haut-le-cœur. Je plonge la main dans la poche intérieure de mon manteau et en sors mon téléphone. Je n'ai qu'à effleurer son écran tactile pour alerter la police, mais, malgré mon malaise, je me refuse à le faire.

C'est inexplicable et indéfinissable. Je suis caché derrière un empilement de bois de chauffage, il n'y a personne à l'extérieur de la maison, mais je le sais, je le sens au fond de moi.

Je ne suis pas seul.

***

Derrière mes paupières closes se dessine une forêt à flanc de montagne. Au loin, je devine la maison de Michel, dont les fenêtres sont à présent illuminées. Bizarrement, je ne ressens plus le froid qui me pétrifiait quelques secondes plus tôt. J'ai pourtant l'impression que des yeux invisibles sont braqués sur moi.

Je tourne lentement la tête et c'est à ce moment que je l'aperçois. C'est une forme noire recroquevillée, perdue dans une cape beaucoup trop grande. Elle se trouve à quelques mètres de moi, mais je n'arrive pas à voir le visage qui se cache sous le large capuchon qui couvre sa tête.

Ursula Shipton est là et elle s'apprête à fondre sur moi.

Je contracte tous les muscles de mon corps pour me préparer au combat. Je ne sais pas si mes poings sont aptes à me défendre contre cette créature immatérielle née de l'imagination d'un fou furieux, mais je refuse de me laisser faire. Alors, la forme bouge.

Je crois qu'elle va bondir vers moi, mais elle se retourne et commence à gravir le flanc de la montagne. L'endroit est très à pic, ce qui ne l'empêche pas de glisser vers le sommet comme si elle n'était pas soumise à la loi de la gravité. Je voudrais bien la poursuivre, mais, si je bouge, je risque de tomber et de débouler jusqu'au bas de la falaise. En s'éloignant, Ursula se met à rire. C'est un ricanement sinistre qui évoque le bruit de la tôle qui se froisse.

Le bruit d'un moteur et la lumière bleutée des phares d'une voiture me tirent de cette improbable rêverie. Quand je rouvre les yeux, je suis toujours caché derrière les cordons de bois et j'ai froid à n'en plus pouvoir.

35

Saint-Adolphe, 20 h 23

Michel est de retour chez lui. Sa voiture remonte l'allée et s'immobilise sur l'aire de stationnement. L'homme aux cheveux gris en descend rapidement et claque la portière sans ménagement. Les battements de mon cœur s'accélèrent encore et je suis immédiatement traversé par une formidable poussée d'adrénaline. Sans même réfléchir, j'attrape une petite bûche qui a la forme d'un gourdin et bondis hors de ma cachette, tandis que le propriétaire des lieux s'engage dans l'escalier. Mes pas ne sont pas parfaitement silencieux, mais Michel n'a pas le temps de réagir avant que je lui assène un violent coup derrière le crâne. Assommé, il s'effondre sur les marches métalliques et sa chute cause un terrible fracas. Mireille a certainement entendu tout ce vacarme et je sais qu'elle ne tardera pas à sortir. Je jette mon arme de fortune au sol, attrape les pieds de l'homme et le traîne non sans difficulté de l'autre côté de sa voiture. Je viens tout juste de m'accroupir aux côtés de ma victime quand Mireille apparaît au sommet de l'escalier, l'arme au poing.

— Michel? crie-t-elle d'une voix chevrotante.

Si elle descend, je suis cuit. Je ne peux rien tenter contre une femme armée.

— Il y a quelqu'un qui rôde autour de la maison, crié-je d'une voix basse qui se veut une imitation de celle de Michel.

Le mugissement du vent s'associe à mes piètres talents de comédien pour créer l'illusion.

— Ce doit être ce maudit journaliste, répond-elle. Je ne te vois pas. Où es-tu?

— De l'autre côté. Entre, j'arrive tout de suite.

À travers les vitres de la voiture, je vois que Mireille descend quelques marches et étire le cou pour tenter d'apercevoir son complice.

— As-tu ton arme avec toi? demande-t-elle sur un ton haut perché.

Pour toute réponse, je grommelle quelque chose qui peut ressembler à un acquiescement. À peine rassurée, Mireille retourne très lentement vers la maison, sans jamais tourner le dos à la voiture derrière laquelle je me cache.

Quand la porte de la résidence se referme, je fouille les vêtements de Michel, toujours évanoui. L'espoir renaît en moi quand je découvre un minuscule pistolet caché dans la poche gauche de son manteau. Je m'en empare avant de tourner l'homme sur le ventre. Je détache ma ceinture et l'utilise pour attacher dans son dos les mains de mon prisonnier. Mes doigts glacés et la rigidité du cuir me compliquent la tâche, mais c'est tout ce que j'ai sous la main. Je parviens à mes fins et, même si je doute de la solidité des liens, je prie pour qu'ils tiennent jusqu'à ce que j'aie pu libérer Julien.

Je monte jusqu'au milieu des escaliers sans faire le moindre bruit. Ma tête est à la hauteur de la galerie et je peux maintenant voir sans être vu, du moins, je l'espère. Je ne suis pas surpris de constater que Mireille, le nez collé contre une fenêtre, inspecte les alentours. Elle tient toujours son arme. Un peu plus loin derrière elle, j'aperçois avec soulagement la silhouette de Julien, assis à la table de la salle à manger. À en juger par la position de ses épaules, il est menotté et sans doute attaché à sa chaise.

Mireille se retourne pour dire un mot à Julien et j'en profite pour gravir les dernières marches qui me séparent du palier principal. Comme une ombre, je me faufile vers le fond de la galerie et disparais derrière le coin de l'édifice. De là où je me trouve, je peux aisément voir Mireille et ce qui se passe à l'intérieur. C'est alors que je remarque une seconde porte qui donne sur le côté de la maison. Elle est sans doute verrouillée, mais au moins elle n'est pas entourée de fenêtres comme la porte principale.

Je longe le mur pour rejoindre l'entrée de service, pose ma main sur la poignée et enfonce délicatement la clenche. J'appuie mon épaule au battant et pousse très doucement. Évidemment, le loquet a été tiré et la porte refuse de s'ouvrir.

Mû par une énergie féroce et aussi par l'urgence de la situation, je recule d'un pas et donne un violent coup de pied à la hauteur de la serrure. Le battant ne cède pas, mais, au second coup, il s'ouvre tout grand devant moi. Le tapage de mon irruption surprend Mireille, que j'aperçois dans l'angle de la pièce. Elle fait volte-face et brandit son arme dans ma direction. Julien profite de la diversion et bondit sur ses jambes. Attaché à la chaise, il incline le torse et, la tête enfoncée dans les épaules, plaque la femme à la manière d'un footballeur enragé. Mireille est propulsée contre la baie vitrée du salon. Elle laisse échapper son arme. Je pénètre sans hésiter dans la résidence et me jette sur le pistolet qui gît maintenant au sol.

— Ne bougez pas, dis-je d'une voix forte à la femme effondrée.

Visiblement sonnée, Mireille tente de se relever, mais elle abdique quand je pointe mon pistolet sur elle.

— Sa nièce est enfermée au sous-sol, m'apprend Julien en s'approchant de moi. S'il te plaît, détache-moi !

La clé des menottes qui entravent Julien se trouve sur la table de la salle à manger. Je l'attrape et libère mon ami qui se précipite aussitôt à l'étage inférieur. Je dépose l'arme que je viens de subtiliser à Mireille sur la chaise à laquelle Julien était attaché.

— Vous paierez cher pour cela, menace Mireille en rampant vers le centre de la pièce. La mère Shipton vous punira ! Elle vous maudira !

— Je vous ai dit de ne pas bouger ! Et taisez-vous donc !

Je n'aime pas la sensation que me procure le fait de braquer une arme sur quelqu'un, mais je n'ai pas le choix d'agir ainsi jusqu'à ce que la police s'en mêle. La scène que je vis est tout simplement irréelle. Des sanglots entrecoupés de paroles incompréhensibles me parviennent du sous-sol. Toujours étendue sur le sol, Mireille balbutie de sombres imprécations. Un instant plus tard, Julien réapparaît en soutenant la nièce et son immense bedaine. Le visage de la jeune femme est mouillé de larmes et elle semble aux frontières de l'hystérie. C'est pendant ce tout petit moment de distraction que je suis atteint par un projectile venu de nulle part.

36

Saint-Adolphe, 20 h 49

La balle me touche à la cuisse droite et je tombe aussitôt à genoux. Malheureusement, la douleur est si intense que j'en laisse tomber mon arme. La femme enceinte se met à hurler et bouscule Julien pour retourner se terrer au sous-sol. Déstabilisé par l'arrivée soudaine de Michel qui se tient dans l'embrasure de la porte principale, mon ami ne parvient plus à faire le moindre geste. Son regard passe du visage défiguré par la démence de notre assaillant à ma jambe meurtrie. Mireille se rue sur l'arme qui vient de m'échapper et la pointe sur moi avec une satisfaction évidente.

— Elle est là, tonne Michel en pénétrant dans sa maison. Ursula est ici. C'est elle qui m'a détaché.

— Toi, crache Mireille à l'adresse de Julien, à genoux !

Julien doit obéir et pose un genou au sol. Nous sommes maintenant côte à côte, totalement démunis devant les disciples de la mère Shipton.

La jeune femme enceinte a disparu dans les profondeurs du sous-sol, là où elle était maintenue prisonnière, mais j'entends les cris de terreur qu'elle ne parvient pas à réprimer.

— Fais-la monter, ordonne Michel. Ursula n'en peut plus d'attendre.

Michel nous surveille pendant que Mireille descend chercher sa nièce. Un silence absolu règne dans la maison quand les deux femmes remontent.

— Je vous en supplie! Laissez-moi partir! implore la nièce, secouée de hoquets.

Mireille lui ordonne de gagner le salon et de s'adosser à la baie vitrée. Impuissante et terrorisée, la jeune femme obtempère. Menaçant, Michel s'avance alors vers moi. Il me balance un coup de pied au ventre qui me coupe instantanément le souffle.

— Je devrais peut-être vous tuer avant qu'elle prenne la fille, dit Michel en crachant sur le parquet. Je suis sûr que votre mort fera en sorte que je puisse reprendre la maîtrise de mon tulpa.

— Votre tulpa? dis-je à travers de douloureux toussotements.

— Vous ne comprenez rien à tout cela, n'est-ce pas ? ricane Michel en nous dominant de toute sa taille.

L'endroit me paraît mal choisi pour faire preuve de curiosité et parfaire ma culture ésotérique, mais je dois savoir. En réponse à la question de l'homme, je secoue la tête.

— Connaissez-vous le livre des morts tibétain, monsieur Saint-Clair ? continue Michel. À en juger par votre air hébété, sûrement pas. C'est pourtant dans ce livre que j'ai appris l'existence des tulpas.

L'homme tire une chaise vers lui et s'y assoit sans jamais nous quitter des yeux. Je ne peux m'empêcher de fixer la gueule noire de son pistolet, tournée vers moi.

— Je garde toujours ce petit revolver dans ma chaussette, m'apprend-il. Vous l'auriez trouvé si vous m'aviez mieux fouillé, tout à l'heure.

Il éclate de rire et fait mine d'appuyer sur la gâchette. Mon visage et celui de Julien se crispent, mais rien ne se produit.

— Après mon divorce, j'ai fait un long voyage dans le nord de l'Inde, à la frontière du Tibet, nous confie Michel. J'étais malheureux et je cherchais des réponses aux questions que je me posais depuis toujours sur le sens de la vie. J'ai vécu pendant quelques mois en compagnie des moines, car ils ont accepté de m'accueillir dans leur monastère. Je me suis vite converti à leur religion et ce sont eux qui m'ont appris à maîtriser le pouvoir de mon esprit. J'ai longtemps cru que je passerais le reste de ma triste vie dans l'Himalaya, au sein de cette congrégation d'hommes sages, mais un jour ils m'ont demandé de partir, quand ils ont compris la fascination que j'éprouvais pour leur livre des morts et ses secrets. Ils ne m'ont pas laissé le choix de m'en aller. Je suis donc revenu chez moi, mais j'en savais assez sur les tulpas pour poursuivre mes recherches sans eux.

« C'est dans les écrits d'une exploratrice française du nom d'Alexandra David-Néel que j'ai trouvé ce que je cherchais. Cette femme, née en 1868, avait découvert la magie des tulpas lors du voyage qu'elle avait fait au Tibet en 1924. Dans son livre, elle décrivait comment elle avait créé un tulpa auquel elle avait donné l'aspect d'un moine anglais plutôt rondelet. Elle avait commandé la créature pendant un certain temps, mais elle n'avait eu d'autre choix que de la détruire quand elle s'était tout à fait matérialisée et qu'elle n'avait plus obéi qu'à sa propre volonté.

« Je suis un homme malchanceux, monsieur Saint-Clair. Je travaille dur depuis que je suis tout jeune, j'ai réussi à devenir riche, mais il semble que je sois destiné à essuyer toutes sortes de revers. Aujourd'hui, la faillite me guette. Je suis en train de tout perdre, tout ce pour quoi j'ai travaillé si fort ! Croyez-vous, monsieur Saint-Clair, que j'allais abdiquer et accepter de me retrouver à la rue ? Si c'est le cas, vous vous trompez, car je suis prêt à tout pour retrouver ma fortune. »

Une bourrasque particulièrement puissante s'enroule autour des toits de la maison. Au même instant, un objet percute la baie vitrée du salon. Un frisson me parcourt aussitôt des pieds à la tête, mais les autres ne semblent pas avoir remarqué le bruit.

— J'étudie depuis longtemps toutes les formes de magie, ainsi que les rites de sorcellerie, poursuit Michel. Vous savez, l'art magique est complexe et peu de gens parviennent à le maîtriser. J'ai bien tenté de conduire moi-même les rituels de magie qui auraient dû faire tourner le vent et me rendre le fruit de mon dur labeur, mais j'ai lamentablement échoué.

— C'est pourquoi vous avez créé l'égrégore de l'une des plus puissantes sorcières de l'histoire, dans l'espoir qu'elle réussisse là où vous avez échoué, dis-je en rivant mon regard sur le visage de la nièce de Mireille.

— Vous avez tout compris ! Le tulpa de la mère Shipton, sous ma domination, allait me permettre de bénéficier de la plus formidable magie. Mais il m'était impossible de créer un être aussi puissant et de le forcer à se matérialiser sans le concours de plusieurs esprits réunis…

Une ombre passe de l'autre côté de la fenêtre. À cause du reflet des lumières du salon dans la baie vitrée, je ne vois pas de quoi il s'agit, mais j'ai la certitude de savoir ce qui se passe. Le récit de Béatrice, la tante de Bernadette, me revient en mémoire. Les lumières vacillent, puis s'éteignent. Affolé, je pousse un grand cri à l'intention de la femme enceinte.

— Attention ! Éloignez-vous de la fenêtre !

La jeune femme échappe à sa tante en plongeant vers l'avant. Elle roule sur le tapis au moment même où la baie vitrée vole en éclats. Je ne vois pas grand-chose, sinon une masse sombre de laquelle émerge une main spectrale qui se referme sur la nuque de Mireille. Son hurlement déchire la nuit quand elle est projetée de l'autre côté du parapet de la galerie. La forêt étouffe son cri, mais l'écho de la montagne, lui, amplifie les sirènes des voitures de police qui approchent.

Michel traverse le salon et franchit la baie vitrée dont il ne reste plus rien pour se rendre sur la galerie. Il s'approche du garde-corps et fouille les ténèbres en plissant les yeux. Il n'accorde même pas un regard au corps de Mireille qui gît sans vie quelques mètres plus bas. Tout ce qu'il cherche, c'est la mère Shipton.

— Venez à moi, Ursula ! beugle-t-il comme un loup qui hurle à la lune.

Roulée en boule sur le sol, la femme enceinte pleure et gémit sans arrêt. J'essaie de me lever, mais, en raison de ma jambe blessée, je ne réussis qu'à me redresser sans pouvoir marcher. Julien court jusqu'à l'arme abandonnée sur la chaise de la salle à manger et s'en empare sans hésiter. Il revient au salon beaucoup plus lentement et s'avance jusqu'à ce que le canon du pistolet soit appuyé entre les omoplates de Michel, toujours à l'extérieur.

— Jetez votre arme, dit-il sur un ton qui n'admet aucune protestation.

Les épaules de Michel s'affaissent quand il laisse tomber son revolver. La tête baissée, il semble en proie à l'abattement le plus total. Je boitille pour rejoindre la nièce de Mireille qui ne cesse de pousser des gémissements suraigus.

— C'est fini, dis-je tout bas. La police sera bientôt là.

J'en suis à porter secours à la jeune femme quand Julien se met à crier.

— Arrêtez ! Non ! Ne bougez plus ! Hé !

Michel se défile et Julien, chez qui il n'y a pas la plus petite once de méchanceté, n'ose pas appuyer sur la détente. L'homme court sur la galerie et se précipite vers les escaliers. Julien tire en l'air dans l'espoir de l'effrayer, mais le fuyard ne s'arrête pas. Il contourne l'arrière de sa voiture et disparaît dans la nuit.

— Merde ! peste Julien en renonçant à poursuivre Michel.

En claudiquant, je me dirige à mon tour vers l'extérieur. Il fait noir, le vent continue à souffler et la lumière clignotante des gyrophares accompagne maintenant le son des sirènes en illuminant l'horizon. Je me dis que tout est terminé et me permets un soupir de soulagement avant qu'arrivent les policiers.

ÉPILOGUE

Québec, deux jours plus tard

Je suis de retour chez moi après une nuit à l'hôpital. Une intervention chirurgicale a été nécessaire pour extraire la balle qui s'était logée dans ma cuisse. Le médecin a dit que je ne garderais aucune séquelle de ma mésaventure, sinon quelques mauvais souvenirs.

Michel Ferron a été intercepté par les policiers quelques minutes seulement après avoir échappé à la vigilance de Julien. Il errait à travers les arbres qui bordent la route quand il a été repéré. Comme les autorités sont convaincues qu'il est responsable de tous les événements dramatiques récemment survenus à Stoneham, il a rejoint Sébastien Simoneau derrière les barreaux. Malheureusement, son procès n'aura pas lieu avant plusieurs mois.

Constantin Lorrain, l'inspecteur maigrelet chargé d'élucider le mystère de la disparition du petit Benjamin, m'a rendu visite avant que le médecin m'accorde mon congé de l'hôpital. Quand il est arrivé dans ma chambre, il tenait un grand sac de toile qu'il a déposé au pied de mon lit. Il souhaitait évidemment me poser plusieurs questions, mais j'ai profité de son passage pour lui en adresser quelques-unes, moi aussi.

— Comment avez-vous su que nous nous trouvions chez Michel Ferron, ce soir-là ? lui ai-je demandé.

— Croyez-vous que les policiers sont des incapables ? a-t-il glapi, aussitôt sur la défensive. Nous menons notre enquête sur cette histoire depuis plusieurs jours. Quand j'ai appris qu'on avait dérobé les pièces à conviction que nous avions temporairement laissées là où vous les aviez trouvées, dans la forêt ancienne, j'ai tout de suite soupçonné que vous étiez le coupable. N'aviez-vous pas retrouvé le garçon ? Et n'étiez-vous pas aux côtés de Bernadette lorsqu'elle a été agressée ? Cela suffisait pour semer le doute dans mon esprit.

L'inspecteur Lorrain m'a fait un sourire qui ressemblait plutôt à la grimace de quelqu'un qui vient d'avaler une rasade d'alcool pur.

— J'ai aussitôt ordonné à toutes les patrouilles de se rendre chez Michel Ferron. S'il était notre suspect numéro un dans cette affaire, il était manifeste qu'il était aussi le vôtre. J'ai vu juste et vous pouvez m'en remercier.

Tout en faisant mine de ne pas vraiment

comprendre de quoi il parlait, j'ai offert à l'inspecteur les remerciements qu'il espérait.

— Maintenant, avouerez-vous votre crime et me remettrez-vous les objets que vous avez volés dans la forêt ancienne ? m'a-t-il demandé en fronçant les sourcils.

— Je n'ai rien volé du tout, inspecteur, ai-je menti sans même rougir.

Je savais pertinemment que Julien avait emporté la canne et le moïse chez Violette et qu'ils y étaient en sécurité. De rendre ces objets à la police revenait à accepter que l'égrégore de la mère Shipton continue d'exister.

— C'est bien ce que je croyais, m'a-t-il dit en rattrapant son sac.

Il a soulevé son bagage et l'a déposé tout près de mon bras gauche. Il a gratté l'arête de son nez du bout de son index avant de reprendre la parole.

— Je ne sais pas pourquoi c'est ainsi, mais on me confie toujours les enquêtes qui, avouons-le, sont un peu étranges. Je ne connais pas tous les détails de l'histoire qui vient d'ébranler la communauté de Stoneham, mais j'en sais suffisamment pour avoir la certitude qu'il s'y passe des choses qui dépassent l'entendement. Des choses semblables, monsieur Saint-Clair, doivent souvent être réglées de façon peu… orthodoxe. J'en connais suffisamment sur les sciences occultes pour admettre l'existence d'éléments en face desquels la police est impuissante, mais je suppose que vous ne comprenez rien à ce que je raconte, n'est-ce pas ?

Parce que je craignais de me mettre les pieds dans les plats, j'ai préféré rester de marbre.

— C'est exactement ce que je pensais, a-t-il ajouté en prenant mon silence pour un assentiment. Vous êtes blanc comme neige, n'est-ce pas, monsieur Saint-Clair ? Quoi qu'il en soit, j'ai pensé vous offrir ce présent pour accompagner mes vœux de prompt rétablissement. Il s'agit d'un ours en peluche un peu singulier. Son pelage est, ma foi, très rugueux ! J'espère que vous saurez en prendre soin…

***

C'est sans doute un miracle si Bernadette a survécu à l'attaque dont elle a été victime. Elle est toujours aux soins intensifs, mais elle a déjà retrouvé une bonne partie de son énergie et, plus important encore, le goût de sourire. Avant que je quitte l'hôpital, on m'a permis de passer cinq minutes à son chevet. C'est là qu'elle m'a juré qu'elle téléphonerait à tous ceux qui ont été les disciples de l'homme cornu pour les convaincre de détruire tout ce qui peut leur rappeler Ursula Shipton.

Le petit Benjamin, quant à lui, est déjà de retour auprès de sa mère. C'est un peu amoché et un petit doigt en moins qu'il a repris sa vie là où il l'avait laissée. Entouré des siens, il s'est parfaitement remis de sa mésaventure. Même si l'état de santé de sa mère est toujours inquiétant, il semble qu'il subsiste pour elle un peu d'espoir.

Hier soir, Julien et moi avons rendu visite à Violette. Quand elle a vu l'ourson de pierre que je tenais entre mes mains, ses yeux énormes sont devenus encore plus grands qu'ils ne le sont d'ordinaire. À l'aide d'une massue, d'un briquet et d'un bidon d'essence, nous avons détruit les trois symboles qui évoquaient la mère Shipton et sa cascade aux eaux pétrifiantes. Violette a ensuite voulu que nous participions à une cérémonie wiccane de purification qu'elle a tenue sur le bord de la rivière.

— Maintenant, c'est bel et bien fini, a-t-elle dit en voyant les flammes consumer les restes des objets.

— Pas tout à fait.

J'ai sorti mon téléphone de ma poche pour retrouver la photographie de la main de la mère Shipton, prise lors de la battue au cœur de la forêt ancienne. C'est avec une certaine rage que je l'ai supprimée définitivement, sous le regard approbateur de Julien.

***

Étendu dans mon lit, je ne cesse de repenser à tout ce que je viens de traverser et cela m'empêche de dormir. Troodie est lovée tout contre moi, mais, quand je me tourne sur le côté, elle se lève, s'étire et saute en bas du lit. Elle quitte la chambre d'un pas pesant et je l'entends bondir sur le rebord de la fenêtre du salon. Quand elle pousse un miaulement plaintif, mon cœur manque un battement. Je repousse les couvertures et me redresse en m'appuyant sur mes coudes. Troodie se met alors à feuler, je bondis sur mes pieds et fonce vers le salon.

La chatte a le poil hérissé, le dos rond et le nez collé contre la vitre qui vient d'être remplacée par le concierge de l'immeuble. Ses feulements répétés brisent le silence sépulcral qui règne dans mon appartement. Je m'approche à petits pas, craignant de voir ce qui se trouve de l'autre côté de la fenêtre. Troodie déguerpit en miaulant quand j'essaie de lui caresser le sommet de la tête.

Une forme noire se tient debout à l'extrémité

du toit. Sa cape cache entièrement son corps rabougri et volette dans la brise nocturne. Elle se tient exactement là où se sont posées les corneilles quelques jours plus tôt. Je déverrouille la fenêtre et ouvre bien grand ses battants. Une main osseuse à la peau très pâle émerge de l'ample vêtement et pointe sur moi un doigt crochu. La silhouette lointaine et presque vaporeuse demeure silencieuse, mais elle me parle à travers les mots lugubres qui emplissent soudain mon esprit.

« Sorcière, prophétesse et tulpa
Nul ne peut détruire Ursula
En brûlant la pierre ou le bois

« Un soir, tout au sommet d'un mont
Avant que meure le dragon
Mes sœurs et moi te retrouverons

« J'ordonne aux bêtes de la nuit
De faire de toi leur ennemi
Treize minutes après minuit ! »

Je m'apprête à hurler dans l'espoir de l'effrayer quand la noire silhouette s'effondre sur elle-même. Au même instant, une corneille s'échappe du large capuchon, tandis qu'une nuée de phalènes nocturnes, surgie de nulle part, fonce vers moi. Je referme précipitamment la fenêtre avant que des centaines de papillons aux ailes brunes pénètrent dans mon appartement. Les insectes heurtent les carreaux et disparaissent en tourbillonnant dans le ciel étoilé. La corneille croasse une dernière fois avant de s'éloigner à tire d'ailes.

Je me réveille en sursaut, le cœur battant. Troodie dort paisiblement à mes côtés, la tête enfouie entre ses pattes. Quant à moi, je suis en nage et les paroles de la prophétesse résonnent toujours dans mon esprit. J'essaie de me convaincre qu'il s'agit d'un mauvais rêve, que cette malédiction est le fruit de mon imagination, mais je sais au fond de moi qu'il n'en est rien.

À PROPOS D'URSULA SONTHEIL SHIPTON

Les premiers récits relatant la vie de la mère Shipton sont apparus au milieu du XVIe siècle. Depuis lors, ce personnage mythique fascine tous ceux qui s'intéressent de près ou de loin à la sorcellerie et aux pouvoirs prophétiques.

Ursula est née en 1488 dans les environs de Knaresborough, dans le nord du Yorkshire en Angleterre. La légende veut que sa mère, Agatha Sontheil, soit morte en lui donnant naissance dans une caverne aux abords de la rivière Nidd. Le nourrisson, difforme et d'aspect fort repoussant, aurait été recueilli par une femme du village.

Les pouvoirs d'Ursula se manifestent dès son plus jeune âge. Dans la maison où elle habite, des objets changent mystérieusement de place et on affirme même avoir vu des pots de faïence voler dans la pièce où elle se trouve. Ces récits nous permettent de croire que la petite fille possédait le don de télékinésie. C'est aussi dès l'enfance qu'elle commence à prédire l'avenir aux gens du voisinage.

Malgré sa laideur légendaire et tous les étranges ragots qu'on colporte à son sujet,

Ursula se marie à l'âge de 24 ans avec un charpentier du nom de Toby Shipton. Puisqu'elle n'a jamais cessé de faire usage de son don de prophétie, sa renommée dépasse rapidement les frontières de son village.

Par-delà les siècles, les prophéties de la mère Shipton ont fait l'objet de plusieurs études. Voici quelques-unes des plus célèbres.

Carriages without horses shall go,
And accidents fill the world with woe.
Around the world thoughts shall fly,
In the twinkling of an eye[1].

Ce quatrain prédirait l'invention de l'automobile, du téléphone, de l'Internet et des satellites.

Under water men shall walk,
Shall ride shall sleep shall talk:
In the air men shall be seen,
In white, in black and in green[2].

Ce quatrain annoncerait l'apparition des sous-marins, des dirigeables et montgolfières, ainsi que des avions.

Over a wild and stormy sea,
Shall a noble sail
Who to find will not fail,

---

1. Des attelages sans chevaux rouleront, / Et leurs accidents rendront le monde malheureux. / Les pensées voleront tout autour du monde, / En un battement de paupière.
2. L'homme marchera sous la mer, / S'y promènera, y dormira, y parlera : / On verra l'homme dans les airs, / En blanc, en noir et en vert.

A new and fair countree
From whence he shall bring
A herb and a root
That all men shall suit
And please both the ploughman and the king[1].

Dans ce passage, la mère Shipton aurait prédit la découverte du tabac et de la pomme de terre, des végétaux dont l'usage s'est répandu à la suite de la colonisation de l'Amérique.

Ursula Shipton s'est éteinte en 1561, après avoir prédit sa propre mort. Le lieu de sa naissance et la source aux eaux pétrifiantes qui sourd non loin de là sont aujourd'hui des lieux touristiques fort prisés des voyageurs.

1. Sur une mer démontée, / Un noble vaisseau / Ne faillira pas à trouver sa route, / Jusqu'à un nouveau pays / Duquel il rapportera / Une herbe et une racine / Qui plairont à tous les hommes / Qu'ils soient paysans ou rois.

À PROPOS DE L'ÉGRÉGORE

L'égrégore (ou tulpa) est un concept ésotérique qui désigne une force ou entité psychique, créée et influencée par les désirs d'un groupe de personnes qui unissent leurs pensées en les axant vers un but commun. L'égrégore est décrit et étudié dans plusieurs religions et courants spirituels tels que l'hermétisme et le bouddhisme tibétain. Alors que certains parlent d'égrégore, d'autres préfèrent l'appellation forme-pensée. En Orient, on désigne cette manifestation sous le nom de tulpa.

Le livre des morts tibétain décrit le tulpa comme la matérialisation d'un objet de visualisation. Pour les moines du Tibet, un tulpa peut aussi bien être un objet qu'une entité psychique vivante et, dans tous les cas, sa création est très dangereuse.

Dans son livre *Magic and Mystery of Tibet*, Alexandra David-Néel affirme qu'un tulpa capable de se manifester dans le monde matériel tend à s'affranchir de la volonté de son créateur. Certains maîtres tibétains réussissent même à envoyer leur tulpa en mission secrète par-delà le pays, mais il n'est pas rare que la créature se rebelle et ne revienne jamais, préférant continuer ses pérégrinations et agir selon ses propres désirs.

Comme raconté précédemment, madame David-Néel a elle-même créé un tulpa dont l'apparence était celle d'un moine joyeux et bedonnant. Ce dernier a fini par maigrir et sa bonhomie a cédé la place à une attitude déplaisante et malicieuse. Il existe peu d'écrits sur la manière de détruire un tulpa, mais Alexandra David-Néel raconte qu'il lui a fallu plus de six mois pour se débarrasser de sa propre création.

TABLE DES MATIÈRES

Chapitre 1 7
Chapitre 2 17
Chapitre 3 25
Chapitre 4 33
Chapitre 5 43
Chapitre 6 51
Chapitre 7 57
Chapitre 8 65
Chapitre 9 73
Chapitre 10 81
Chapitre 11 87
Chapitre 12 93
Chapitre 13 105
Chapitre 14 113
Chapitre 15 121
Chapitre 16 127
Chapitre 17 137
Chapitre 18 143
Chapitre 19 153
Chapitre 20 163
Chapitre 21 177
Chapitre 22 185
Chapitre 23 191
Chapitre 24 201
Chapitre 25 209

Chapitre 26 217
Chapitre 27 223
Chapitre 28 235
Chapitre 29 243
Chapitre 30 251
Chapitre 31 259
Chapitre 32 271
Chapitre 33 279
Chapitre 34 285
Chapitre 35 295
Chapitre 36 301
Épilogue 309
À propos d'Ursula Sontheil Shipton 317
À propos de l'égrégore 321

DANS LA MÊME COLLECTION :

DU MÊME AUTEUR :